미운오리는 이제 퇴장하렵니다.

나를 보게하다
나와 접촉하다
나를 만나다

글쓴이 윤태희

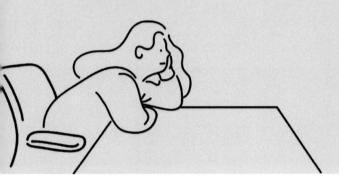

BOOKK✎

나를 보게하다 나와 접촉하다 나를 만나다

미운오리는 이제 퇴장하렵니다.

나를 보게하다
나와 접촉하다
나를 만나다

글쓴이 **윤태희**

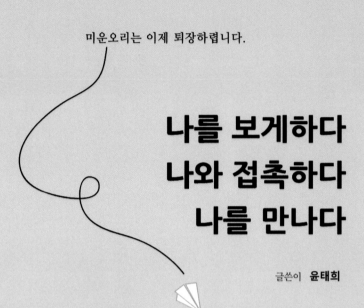

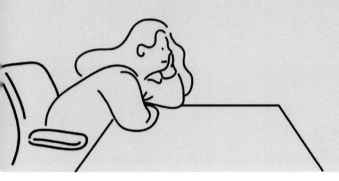

BOOKK

대자연의 품속에서 경이로움을 만끽하다.

경이

새로움을 찾아 나서다.

요즘 들어 눈길이 가는 색감은 블루 계열이다. 남색, 남청색, 청록색 등. 깊이 있는 채도로 잘 빠진 신비한 듯 묘한 블루색을 보면 지나가다가 뒤돌아본다. 감상하고 기억해 두고 싶어서다.

까마득한 어린 시절, 다섯 살 무렵 정도인 것으로 알고 있다. 떠오르는 것은 빨간 밍크코트를 입은 내 모습이다. 플랫카라에 할랑하니 A라인의 편한 스타일이었던 거 같다. 북실북실한 왕방울의 똑딱이 단추와 양옆에는 주머니가 있었던 겨울 코트였다. 보온성 있는 폴리에스터 퍼 재질의 또깝하니 보온성 있는 귀여운 스타일의 반코트였다.

필이고모와 대구 신천동에서 가까운 역에서 기차를 기다리고 있었고, 고모는 "가시나 마, 말 안 들으면 이젠 안 델고 온다." 그러면 나는…

"고모님요, 다시는 말 잘 들을게요.."라고 답했던 게 또렷하다. 평소엔 높임말까진 쓰진 않는데, 다음에 또 오고 싶다는 강렬한 욕구 표현을 한 거다. 고모가 비위가 상했거나 무슨 의도가 있을 때는 높임말 쓰라고 요구하기도 해서 그땐 알아서 높임말로 비위를 맞춘 거 같다.

고모와 함께 대구에 있는 삼촌 자취방에 오는 게 좋았었나 보다.

시골 오지에서 매일 그렇고 그런 것들만 보다가 도회지라는 곳에 나와 보니 신기한 거, 새로운 것도 많은 게 버스도 타고 기차도 타고 사람들도 웬지 깔끔하니 좋아 보였었나 보다.

빨간 밍크코트라고 불렀었다. 당연히 밍크는 아니었지만 편하게 밍크코트라고 불렀다. 그 옷을 얼마나 애지중지했는지 모른다. 고모는 그때 필이고모라 불렀고 혼인을 하고 나선 수성동 고모로 바뀌었다.

삼촌 자취방에 오면 고모가 열심히 청소다, 반찬이다 한 지붕 아래 셋방 사람들과 이바구하느라 바쁘게 움직였던 거 같고, 삼촌은 항상 책상 앞에 앉아 있어서 뒷모습만 익숙하다. 뭘 했는지는 알 수 없지만, 책상 앞 벽에는 이런 문구가 쓰여 있었다.

"이 방에 들어오는 사람은 30분을 넘기지 마시오."

정확한진 모르겠으나, 나는 공부를 해야 하니 이 방에 오래 머물지 말고 나가 달라는 멘트일 것이다. 삼촌의 성향을 봤을 땐.

어린 나이였지만, 아이러니하면서도 재밌었던 기억으로 남아 있다.

대자연의 품속에서 경이로움을 만끽하다

낙원

하늘은 드높고 땅은 풍요롭다

　태어날 때 머리에 태를 두르고 태어나서 사내아이로 태어났으면 한 인물 할 법한 기질의 아이였다는 말을 들었다. 신체 어느 부위에 잠이 있다고 해서 아명이 잠태였다. 그 사실을 듣고 나서 신체 부위를 샅샅이 찾아봤지만 잠의 흔적은 찾지 못 했다.

　여름엔 주로 집 앞, 100년 넘은 고목 느티나무 주변에서 놀았다. 동네 또래들과 나무에 올라가 나뭇가지에서 삐삐처럼 놀다가 더우면 바로 옆 개천 도랑에서 세수 한번 하고 나면 더없이 시원했었다. 고무줄놀이가 시작되면 해가 넘어가 어둑해져도 정신줄 놓고 놀았고 엄마가 밥 먹자고 부르면 그래도 더 놀고 싶어서 미련을 못 버렸던 놀이다.

　1970년, 80년대 시골의 겨울은 다른 계절에 비해 한가롭고 여유가 있었다.

　그 시절엔 이 지역에도 함박눈이 펑펑 내리던 때라 아침에 일어나면 온 세상이 하얗게 뒤덮여 있었던 집 앞 풍경. 저만치 눈 덮인 야산, 나뭇가지에 볏단에 지붕에 장독대에 소복이 쌓인 솜사탕 같은 함박눈을 맞으러 하얀 세상 속으로 홀라당 뛰어나갔던 시절이었다.

나를 보게하다 나와 접촉하다 나를 만나다

가을걷이 끝난 집 앞 논에서 눈사람을 만들고, 눈싸움을 하고, 마당 치운 눈더미와 한약초 택사 이파리를 섞어 이글루 같은 눈 집을 만들어 그 안에서 소꿉놀이하던 일들...

초3. 7살 동생과 함께

이제 이곳에선 그런 눈 구경하긴 힘들어졌다.

봄에 뿌린 씨앗을 뿌려서 더운 여름에 피를 뽑고 가꾸어서 가을에 수확을 할 때 농부의 마음이란 이루 말할 수 없었을 것이다. 가을걷이를 할 즈음, 들판에 벼를 베고 건조된 벼를 묶어 무거운 볏단을 들고 탈곡기 앞으로 날라다 주면 게으름 안 피우고 꾸준히 잘한다며 칭찬 들었던 얘기, 그때 머리에 이고 지고 바리바리 사 오신 엄마표 중참, 들판에서 웅크리고 앉아서 먹었던 그 맛은 꿀맛이었다.

가을하늘은 맑고 높고 청량한데, 풍년 가을을 수확하는 농부의 마음도 한껏 부풀어 있고, 그 기쁨을 함께 하는 내 마음도 한껏 부풀었을 것이다.

쉴 참에 재어 놓은 볏단에 기대어 보면 축축한 듯 덜 마른 볏단 냄새가 묘하게 평온감을 주었고, 포근하니 좋았다. 지금도 들판이나 산에 마른풀 내음이 솔솔 올라오면 그렇게 편안하고 안온할 수가 없다. 들판에서 바라

어릴 때 놀았던 100년 넘은
느티나무

9

보는 가을하늘은 더없이 넓고 높고 맑았다. 여기 있다 금방 저기로 흘러 다니는 뭉게구름은 하늘의 가치를 더욱 빛나게 해 주는 듯. 하늘만큼 멋진 자연이 또 있을까...

가을걷이가 끝나면 겨울이 오고, 겨울은 농한기라 한가해지니 그때 농부들은 한 해를 마무리하고 휴식을 취하며 다음 해 봄 농사 준비를 하였다.

물론, 우리 집은 겨울에도 한약초인 '택사'라는 것을 심어서 그것을 건조한 후 칼로 조각하듯 깎아서 한약 시장에 내다 팔았다. 긴 겨울밤이면 어김없이 온 가족, 솔직히 남자들은 제외였다.

삼월삼짇날 봄철에는 겨우내 움츠렸던 마음을 펴고 이제 다시 새로운 농사일을 시작할 시점이다. 엄마 생신이 삼월삼짇날, 춘삼월 쑥떡을 어김없이 해 먹었었다. 동네에선 솔밭 언덕배기에서 이제 막 올라오는 파리한 풀을 밟으며 화전놀이를 했는데 필이고모와 또래 처녀들끼리 한복 입고 모여서 신나게 노는 장면을 종종 보았다. 그때 고모가 꽹과리 들고 앞에 나서서 흥을 돋우며 리더하였다. 그 시절에 흥을 돋우는데 꽹과리가 최고였나 보다. 고모는 글공부보다는 노래나 흥을 돋우는 신명이 넘쳤고 끼가 있었다.

초6. 도랑에서 빨래하고 오는 중

초6. 경주수학여행 : 한 동네친구들이랑

관계 속에서 만난 고락 (苦樂)

관계
손에 물이 마를 날 없는 엄마

농한기 겨울엔 이웃집 아지매들까지 모여앉아 택사를 깎았고, 겨울 밤이 웬만큼 깊어지면 엄마가 김치밥국에 동치미를 가지고 오신다.

김치 밥국은 육수 멸치를 우려낸 물에 김치를 넣고 식은 밥을 넣어 푹 끓이는 경상도 음식이다. 겉보기엔 갱죽 같아서 먹기 곤란할 수도 있다. 근데 그게 소화가 잘 되고 그리도 맛있었다. 분석해보면 영양가 있는 음식이다.

요즘도 한 번씩 김치 밥국을 시도해 보지만, 옛날 그 맛이 안 나온다.

낮부터 정신없이 일했던 사람, 우리 엄마는 얼마 안 있어 꾸벅꾸벅 졸기 일쑤였고, 그 장면을 보고는 다들 한마디씩 했다.

"또 시작이다. 또 시작"

그럴 수밖에 없는 게 새벽부터 늦은 시각까지 부엌에서 나올 수 없었던 엄마는 늘 잠이 부족했다.

엄마의 하의는 언제나 긴 월남치마 앞에 누렇게 변한 무명으로 만든 앞치마를, 머리에는 수건을 두르고 있었던 모습이 떠 오른다.

나를 보게하다 나와 접촉하다 나를 만나다

지금 생각해 보면 타올이었는데, 그 수건을 어찌나 반듯하고 이쁘게 둘렀는지. 한 번씩 그 수건을 벗어 땀을 닦던 엄마의 모습이 눈에 선하다.

엄마의 손은 맵시면 맵시, 음식솜씨면 솜씨, 나무랄 데 없는 야물딱진 손이었다. 자그마하고 끝이 몽땅한 손이었는데, 손에 살이 통통하지 않다고 시집와서 복 없는 손이라는 말을 들었다고 한다.

신라의 역사와 전통이 깊은 경주에서 자란 엄마는 성장하면서 시키면 뭐든 최선을 다해 끝장을 보고, 욕심과 애살이 많은 스타일로 요리면 요리, 바느질이면 바느질 등 인근 중매쟁이들이 탐내던 규수였다고 한다. 수더분한 듯 꼼꼼하고 자기 고집과 철학이 분명해 어떤 상황에도 쉽게 흔들리지 않는 강건한 성격이셨던 거 같다.

할아버지는 맏며느리감 사진을 벽에 붙여 두고 손수 짚으로 가로세로 재어가면서 관상 아닌 관상을 보셨다고 한다. 그렇게 당첨된 맏며느리가 귀하셨는지 엄마와는 각별했던 거 같다.

칠백지구 인근 동네에서 가장 먼저 비녀 쪽머리를 자르고 파마머리를 하라고 하셨단다. 며느리를 자전거에 손수 태워 이십릿길 읍내 미장원에 데리고 가서 파마를 시켜줬으니 그 며느리는 얼마나 감동적이었겠는가. 엄마는 할아버지가 돌아가시고 나서 할아버지와의 일화들을 회상하셨다. 할아버지가 주신 사랑에 보답하는 길을 종종 이야기하시며 종부(宗婦)로서 집안 대소사에 책임과 의무를 다하고자 하셨다.

한여름 쉴 참엔 재봉틀 앞에서 두 발을 굴리고 한 손은 밀어 넣고 한 손은 빼 가면서 공들여 만든 원피스는 내가 먼저 입고 작아

지면 막내인 여동생 차례로 넘어갔다. 그게 불만이었던 동생에게 어쩌다 한 번쯤은 오일장에 가서 동생 몫으로 공주마냥 샤랄라 원피스를 사 입고 거울 앞에서 두 손 모아 율동까지 곁들어 노래 부르던 세상, 그 누구보다 행복했던 기억이 난다. 동네에 그런 예쁜 옷을 입었던 사람은 동생과 나뿐이었다.

명절마다 사 준 엄마표 옷은 동네 사람들의 부러움을 독차지했고, 예쁘다는 말을 한없이 들었던 어린 시절, 나와 동생은 세상천지 가장 예쁜 아이인 줄 알고 지냈었다.

관계

엄한 권위주의 훈육을 받고 자란 아버지

20세기 초중반 유교의 가부장적 문화와 관습이 투철한 집성촌에서 장손으로 길러진 아버지는 어려서부터 자식은 들 띄워서 키우는 게 아니라는 웃어른들의 철학에 힘입어 아들이었지만, 사랑보다는 질책을 받고 자란 듯하다. 부모님 사랑은 늦둥이 삼촌이 독차지했다고 한다.

타고난 기질은 따뜻함과 자상함, 젊었을 때는 다혈질적인 면이 있었으나 휴머니티가 강한 분이셨다. 아들로서, 가문을 지켜야 하는 종손으로서 때로는 악역도 마다 않고 해야만 했었다. 배포가 크고 선이 굵은 남아로 자라야 하기에 엄한 훈육을 받으며 자라신 탓에 자식에게 사랑 표현을 쉽사리 하지는 못 하셨다.

큰오빠를 얻은 아버지가 아들을 안고 있는 것을 보고 할아버지 왈
"니는 니 아가 그리도 좋나?"
그 한마디에 아버지는 바로 큰 오빠를 바닥에 놔 버리더라고 엄마가 말씀해 주셨다.

경주 외가집에서 부모님

하던 장면이 기억난다.

종친회 모임에서

아버지가 군대에 게실 때 혼인을 하셨고, 엄마는 친정에서 큰오빠를 낳아 길렀으며 아버지는 주말마다 휴가를 나오셨다고 한다. 결혼 후에 서로 주고받은 편지를 오랫동안 간직하고 있어서 종종 꺼내 읽으며 과거 회상을 떠올리며 행복해

엄마가 아버지 돌아가시고 종종 감회에 젖어서 하신 말씀이 있다.

친정살이 마치고 찝차 타고 신행 올 때 동네 어귀에 나와 기다리고 있는 아버지와 눈이 마주쳤다던 이야기다. 찌릿한 뭔가가 오고 갔는지, 아버지의 눈웃음 짓는 매력에 빠진 건지 50년이 지난 세월 속 그 장면이 그렇게 기억에 오래 남아 있었다니 많이 설레고 좋으셨나 보다.

관계

조숙한 철부지 유년시절

초등학교 다닐 때 유독 키가 컸던 나는 성격은 시원털털 했지만, 새초롬한 듯 아무나 하고 어울리지는 않았던가 보다.

1, 2학년 때 부반장인 나와 몇몇이 학급에 남아서 환경정리를 하곤 했었는데, 반장인 남자아이가 소아마비를 앓아서 지체장애가 있었다.

그 아이가 도시락을 사 와서 그 음식을 함께 먹으며 몇몇이 어울렸던 게 좋았는지, 엄마가 도시락을 사 준다고 해도 "00가 내 것도 사온다"며 유독 그 아이의 음식을 좋아했던 기억이 있다. 그 집 음식에는 우리 집에서 접하지 못한 음식들이 있었다. 계란말이, 소세지 등등.

성인이 된 후 초등학교 동창회에 갔더니 동기 중 한 명이 자기는 도시락을 못 사와서 배를 곯고 있었는데 나는 집이 가까워 점심시간에 집에 가서 밥을 먹고 오면서 언제나 과일을 하나 들고 먹으면서 온다는 거였다.

아버지가 동장을 하시면서 농사 정보가 빨랐는지 벼농사는 이제 아니다 하시며 과일 농사로 바꾸는 시점이었던 거 같기도 하다.

정말 몰랐다. 동기들 중 점심 식사를 못 한 아이가 있었는 줄. 내가 얼마나 얄미웠을까.

우리 집은 4대 종사에 묘사, 명절 포함해서 1년에 제사를 10번 넘게 모시다 보니 과일이 흔한 편이었다. 파젯날은 음식이 흔했고, 음복 지낸 음식을 일가 어르신들한테 나누어주거나 집에 오셔서 드시고 가셨다. 우리 집을 방문한 손님들한텐 잘 먹고 대우받고 간다는 생각이 들도록 친절하게 굴라고 엄마가 늘 말씀하셨다. 어린 마음에 엄마는 늘 대접 해 주기만 하고 수고했다 고맙다는 말 한마디 못 듣는 거 같아 엄마한테 뭐라고 하면 엄마는 웃으며 '그게 좋은기다.'라고 하셨다. 웬지 손해 보는 엄마가 안타까워서 '나는 커서 엄마처럼 살지 말아야지' 했었다.

관계

한 몸 한 마음

    내가 다닌 시골 오지의 초등학교는 인근 동네를 총칭해서 칠백지구라고 했었다. 일곱 동네에 가구가 칠백가구 된다는 말이다. 전교생은 400명은 넘었고 500명은 안 되는 학교였다. 내가 살았던 동네는 150가구 정도 되어 칠백지구 중 인구가 가장 많고 우리 동네 출신들이 반장, 부반장하고, 학부모들도 육성회장 등 중심 권력을 잡고 있었는지, 우리 동네 출신이 아닌 동기들은 열등의식이 좀 있었을 듯 싶다. 가을운동회 동네 대항을 하면 우리 동네가 항상 1등의 명예를 깨지 않으려고 했으니 말이다.

    초등 1학년 때는 학교에 오빠 둘과 나, 이렇게 셋이 다니고 있었다. 가을운동회 때 아버지 포함하여 4인 부자(父子)이어달리기, 4인 부자(父子)기차 달리기를 했는데 당연히 우리 가족은 1등이었다. 이어달리기 출발은 내가 먼저, 결승점은 아버지가 맡으셨다. 기차달리기는 긴 끈 안에 네 명이 들어가서 기차 모양을 만들고 맨 앞에 있는 나를 제일 뒤에서 아버지가 코치하며 달렸었다. 아버지는 고등학생 때 100미터 달리기 대회 경북 대표선수로 나가서 1등 했다고 종종 자랑하셨고, 오빠 둘도 운동이라면 남한테 지지 않는다며 가족들이 모이면 종종 탁월한 운동신경에 우월감을 공유하곤 했다. 가족이 그 순간만큼 몸과 마음이 한마음이었던 때가 있었던가 싶다.

4학년부터 문예반 활동을 하였다. 글짓기를 해서 대외에 출품해서 여러 상을 받았고, 동시(童詩)쓰는 걸 좋아해서 '나의 문집'을 만들었던 기억이 있다. 문집 만들 때 이미지는 그림 잘 그리는 두 살 위 육촌 미야 고모에게 부탁했었다.

요즘처럼 책상이 흔하지 않던 중1 때 공부라는 것에 대해 흥미를 느낄 때 즈음, 예전 삼촌이 쓰던 앉은뱅이책상이 하나 있었다. 언제부터 사용했는지는 모르겠으나 오래 사용했는지 낙서도 많고 꼬질꼬질하니 큰 서랍이 있는 자그마한 책상이었다.

앉은뱅이책상에서 시험공부를 하고 있는데, 두 살 터울의 작은오빠가 무엇 때문에 심술이 났는지 그 책상은 자기 책상이고, 자기도 공부를 해야 하니 책상에 앉지 말라는 거였다. 책상을 못 쓰게 엄포를 놓았다.

그동안 책상에 앉아서 공부하는 것을 한 번도 본 적이 없기에 괜히 심술부린다고 여겼다. 당시 나는 정의에 대해 민감하던 시절이었던 거 같다. 그래서 정정당당하게 싫다라고 했다. 그랬더니 앉아 있는 나에게 오른발로 일격을 가했다. 그 발은 나의 입에서 멈췄다. 심한 통증이 왔다. 약간의 피가 주르륵 흘렀다. 며칠간 입술이 부어 있었고 몇 주 내 앞니가 시퍼렇게 멍이 들더니 회복이 되지 않았다.

그 이후 내 앞니는 시퍼렇게 멍든 채 지금까지 몇 번의 덧씌우기를 반복하면서 버티고 있다. 미용에 큰 비중을 두고 살진 않았지만, 사회생활을 하면서 나의 시퍼런 앞니가 대인관계에서 신경 쓰이게 하였고 덧씌우기를 반복하면서 들어간 돈이 꽤나 된다.

우리 집에는 한문으로 된 책과 교과서 외에 내가 읽을 만한 책은 따로 없었다. 근데, 일가(一家)인 도호댁 아지매 집에 도서 전집을 샀다는 소문이 났다. 그래서 여름방학 동안 그 집에 있는 전집 책을 모조리 다 읽었던 기억이 난다. 탐정소설로 셜록홈즈와 괴도 루팡 이야기였다. 스릴과 서스펜스가 많아 책을 손에서 놓을 수가 없었다. 그때 독서의 재미를 처음 느껴 보았다.

일본에서 태어나서 20살 많은 일가 할아버지와 혼인을 하고 한국에서 생활한 명산할매라고 불렸던 분이 있었다. 한국말 한 마디 못한 채 한국으로 시집와서 고생을 많이 하셨는지, 아들을 못 낳았다는 비운에 그러셨는지 느지막하게 나이가 들어선 알콜중독이셨다.

가끔 우리 집에 소주병 들고 와서 안주도 마다하고 꿀꺽꿀꺽 들이키고선 늘어지듯 주무시곤 하셨다. 그 할매는 술을 많이 마신다는 결점이 있었지만 내 기억엔 항상 따뜻했다. 우리 할머니보다 그 할매와의 상호작용이 더 많았던 것으로 기억된다. 일본 말 가르쳐 달라면 좋아라 열심히 가르쳐 주셨고, 지나간 일화들을 특유의 언어로 구수하고 맛깔나게 재미나게 해 주셨다. 어린 나이에 무엇이 할매를 알콜 중독으로 가게 했을까 물어보기도 했지만 묵묵부답이셨다. 그녀를 짓눌렀던 삶의 무게와 여정을 추적해보았지만 알 도리는 없었다.

관계

선생님처럼 보인다는 말이 불편했던 건

초등학교 시절 줄곧 부반장을 해 오던 나는 6학년 때 특별한 경험을 하게 된다. 글씨를 반듯반듯하게 쓴 탓인지 담임선생님께서 나한테 판서를 하라고 하셨다. 몇 개월을 판서를 하다가 힘들었는지 선생님한테 더는 못 하겠다고 말씀드렸다.

판서를 하고 나서 내 공책에 다시 옮겨 쓰는 시간이 있어서 친구들 노는 시간에도 혼자 공책에 옮겨 적고 있어야 하니 말이다. 내가 칠판에 글씨를 쓰고 있으면 선생님은 교탁에 왼손을 괴고 창문 너머 먼발치를 쳐다보며 오른쪽 새끼손가락을 콧구멍에 넣은 후 후벼 파서 코딱지를 허공에 던지곤 하셨다. 센티멘탈해서 창문 너머를 쳐다보며 멍 때리는 유형은 아니었던 거 같고 그냥 학교 선생님이 재미가 없었던 게 아니었을까 싶다.

내가 못 하겠다고 선생님께 선언한 후 나는 선생님에게 미운 오리가 되어 버렸다.

그리고 얼마 지나지 않은 어느 날, 가장 뒷줄에 앉아 있던 나는 바로 앞줄에 앉아 있는 친구가 책을 읽고 앉기 전에 의자를 살짝 비켜두었었다.

몹쓸 장난끼가 발동한 거다. 책을 다 읽은 친구가 바닥에 엉덩방아를 찧는 걸 보려는 행위였으리라.

처음 있었던 일도 아니다. 그때 종종 했던 우리들의 놀이였다.

근데, 선생님 얼굴이 벌겋게 달아오르더니 -자주 얼굴이 벌겋게 달아오르는 다혈질이었던 거 같지만- 나한테로 성큼 다가와서 손가락으로 나를 가리키며 "니가 그랬지?"하신다. 두려움에 나도 모르게 "아니요"하고 대답해 버렸다.

그리고 나서 이 사건은 확대되어 갔다.

선생님이 어떻게 해석하셨는지 나를 교무실 복도 앞에 있는 굵은 자갈 바닥에 머리를 박고 엉덩이를 들고 있으라고 하셨다. 그야말로 원산폭격이다. 난생처음 받아보는 무지막지한 체벌에 놀랐지만, 따라야 했다.

한 참 벌을 서고 있는 와중에 지나가던 여러 선생님들이 "니가 왜 거기 있노"하면서 한 마디씩하고 지나가신다. 머리가 아프고 몸이 고통스러운 거 이상으로 일생 최대의 모멸감을 느낀 순간이었다. 학급 바로 앞 자갈 깔린 바닥 놔두고 굳이 교무실 앞 자갈밭에서 벌을 세웠어야 했는지는 지금까지 미스테리다.

시간이 지난 후 교실로 오라고 해서 갔더니, 선생님이 반 아이들과 투표까지 하셨다. 모두 내가 그 나쁜 짓을 했다는 거다. 거기다 옆짝이었던 다른 동네 남자아이는 "니가 그랬잖아" 하며 한술 더 뜬다.

공부는 꽤 했지만, 개구쟁이어서 학급 임원이 한 번도 되지 못한 아이다.

그 당시엔 학급에서 종종 있었던 일이다. 그게 그렇게 확대되어야 할 만한 사안이었는지는 아직도 알 수가 없다. 아마도 어린 내가 감히 선생님이라는 권위에 자기 의사를 표했다는 거 자체가 반항이라고 여거서 노발대발한 게 이닐까 싶기도 하다. 대이나서 처음으로 두려움을 느꼈고, 나 딴은 오랜 시간 관계 때문에 힘들었을 듯 하다. 어린 학생의 입장, 마음을 읽어주는 선생님은 아니었던 거 같다.

그때 군말 없이 선생님의 지시에 부응했더라면 그런 악몽은 일어나지 않았을까?

아무리 곱씹어 봐도 언제까지나 그렇게 판서를 할 순 없었을 것이다. 그게 최선이었다.

물론, 존경할만한 선생님도 있었지만, 성장기 때 부정적인 경험으로 인해 새겨진 부정적 신념이 뇌리에 강하게 남아 있는 건 아동청소년기 선생님이란 존재가 주는 의미를 되새겨 봄 직할 부분인거 같다.

오랫동안 선생 노릇을 하면서도 '선생님처럼 보인다는 말'이 그리도 불편했었던 건 내 안에 그런 해결되지 못한 이유가 있었던 게 아닐까.

초4 봄 소풍, 뒷줄 가장 왼쪽이 나

나를 보게하다 나와 접촉하다 나를 만나다

관계
선생님 선생님 우리 선생님

그 당시 초등학교에는 어린이 잡지 월간 <어깨동무>가 있었는데, 여러 정보를 입수할 수 있어서 애독하였다. 다른 세계에 대한 동경심이 있어서 도시에 사는 여러 아이들과 펜팔을 시도했고, 열심히 편지를 주고받곤 했었던 기억이 있다.

초등학교를 졸업하고 중학생이 된 지 1년쯤 됐을까, 6학년 담임 선생님은 교육청에 근무하려고 첫 출근 하는 날, 무단횡단을 하다 교통사고를 당해서 돌아가셨다는 소문이 들려왔다. 무어라 표현해야 할지 참 난감한 기분이었다. 어린 마음에 인과응보를 떠올렸다.

여자중학교는 동네에서 4킬로. 즉 십리길이었다. 동네에서 읍내로 바로 가는 버스가 없어서 등하교를 자전거로 했는데 비가 오는 날이면 난감했다. 한 손엔 우산을 한 손엔 자전거 핸들을 잡고 가야 했으니 말이다.

중1 자전거를 타고 통학

중학교 1학년 때 만난 사회 선생님은 참 멋진 분이셨다.

어떤 학생에게도 차별 없이 대하고 박식하고 편견 없이 생각이 다채로운. 모든 학생들이 좋아하고 존경하는 선생님이셨다. 호리하니 키도 크시고 얼굴색은 하야니 옅은 미소가 따뜻하게 와 닿았던 누구든 좋아하지 않을 수 없는 풍채와 내면, 인격을 가지고 계신 분이셨다.

그때 선생님한테 잘 보이고 싶어서 수첩에 시험공부 계획을 세밀하게 짰던 기억이 있다.

80년 5월, 세상이 하 어수선하고 수상해지면서 사회 선생님한테 우리들은 물었었다.

"대체 무슨 일이 벌어지고 있는지."

사회 선생님은 담담하게 "너희들은 몰라도 된다. 공부하는 학생은 공부만 하면 된다"라고 하셨다. 2학년이 되자 선생님은 방송통신대 교수로 가셨고, 우리는 많이 많이 슬퍼했었다.

여자중학교 재학시절, 서울 S대를 졸업했고 다른 선생님관 어울리지 않는 도도하고 완고한 선생님이 계셨는데, 사회과목을 담당했고, 한문도 가르치셨다.

그 당시 한문은 고등학교 학력고사에 4문제가 출제되었다. 문법 위주다 보니 꽤 어려웠던 걸로 기억된다. 그런데 한문 선생님은 문법은 가르쳐주지 않고 한자로 본인 이름, 부모 존함, 집주소, 학교 주소 등등 실생활에 자주 쓰일 수 있는 한자를 익히고 반복해서 쓰라고 했다.

칠판에 나와서 못 쓰면 "가시나들아, 아무리 솥뚜껑 운전을 하더라도 그 정도는 알고 있어야지"

가시나 소리 듣기 싫어서 그나마 반복해서 한자 읽고 쓰기를 했던 탓에 실생활에 쓰이는 한자는 편하게 읽는 정도는 되었다. 그렇지만, 선생님이 좋은 대학까지 나왔다면서 유교색 짙은 학교를 나와서 그런가, 아니 그 시절엔 반 이상의 남자 선생님이 그런 사고방식에 물들어 있었다. 공납금 내고 공부하는 우리한테 왜 그런 비인격적인 말씀을 했는지.. 자신의 품격 문제겠지만 말이다.

박인환의 <목마와 숙녀> 라는 시(詩)를 즐겨 보고 있던 나에게 "페시미즘이 뭔지 알기는 아나?" 하면서 내가 보고 있던 시(詩)를 압수해 가 버렸다. 페시미즘을 몰랐다. 시(詩)란게 직관과 느낌으로 받아들이는 거 아닌가? 나중에 알고 보니 염세주의나 비관주의를 일컫는 말로 성장하는 청소년에게 그닥 긍정적인 언어는 아니었던 거 같다. 욕은 하더라도 명색이 교육자니까 그러셨나 보다.

중2 이름 모를 동기와

관계
원장님도 미혼이세요?

　상담센터 개원과 관련해서는 가족 아무에게도 말하지 않았다. 특히 엄마는 걱정만 많으실 테고 동생은 예전에 빌려 간 돈이 있어 불편해질까 봐서다. 그리고 금방 번성해질 거라고 기대해서다.

　오빠들은 아버지 작고 후 자신의 배 채우기가 먼저였고, 냉랭하게 영역 따지며 선을 그었다. 내가 엄마 옆으로 오고부터는 엄마와도 소원해지는 등 제사를 준비하는거 마저 나와 엄마한테 미뤘다.

　당장 통장에 있는 돈으로 사업을 시작하려니 빠듯했지만 소박하게 시작해서 알차게 해 보자는 당찬 생각이었던 거 같다. 도와주고 응원해 주는 사람 한 명 없었지만 세상을 알고 배우며 성장하고자 하는 마음으로 하루하루 희망을 품고 준비하고 진행했었다.

　오픈하고 문의 전화는 많았고 특히 바우처 관련 문의를 많이 받았다.

　내담자 엄마 중 남편이 공무원이어서 바우처에 대해 전반적으로 꾀고 있었고 처음 들어보는 바우처를 이용하고 싶다고 하였다. 부랴부랴 계획서를 작성하고 서류 준비를 해서 지자체에 승인을 받았다.

　미술대학 출신의 미술치료사 박사과정 중인 신규 선생님을 채용하여 본인이 원하는 토요일 오후 시간대에 맞춰서 5회기를 하였다. 내담자 엄마 왈 선생님이 미혼이어서 안 하겠단다. 내가 설득을 하자 대뜸 "원장님도 미혼이세요?"라고 묻는다.

"네"

다음 회기부터 오지 않았다. 어쭙잖은 변명을 늘어놓으면서…

미혼의 딱지가 나를 옥죄게 하고 불편한 진실이 될 줄 몰랐다. 그동안 한 번도 느끼지 않았던 감정이었다.

예전 복지재단 입사 면접시험에서 면접관이 나한테 물었던 기억이 오버랩 된다.

애도 안 낳아보고, 키워본 경험도 없는데 어떻게 애들을 알고, 아이 엄마 마음을 알고 관리를 하겠냐는 질문이었다.

그 당시 종종 받았던 질문이라 내성이 생겼는지 서슴없이 답했다.

"의사는 본인이 직접 암에 걸려봐야 암 환자를 치료할 수 있습니까?" 최고점수로 합격하였다는 후문을 들었다.

지금껏 나의 미해결 과제로 남아 있는 이것은, 내가 혼인해서 출산하지 않는 한 해결할 수 있는 사안이 아니라는 것이다.

『오십에 읽는 주역』의 강기진 저자의 강의내용이다.

"법륜스님은 결혼도 안 해 봤는데 부부생활, 부부문제를 어떻게 그리 잘 아세요?" 라는 질문을 들었다고 한다.

저자 왈, 부부생활을 안 해 보았기 때문에 더 잘 안다. 부부라는 도가니 안에 빠져 있지 않고 벗어나 있기에 객관적으로 잘 보인다는 말씀이었다.

관계

달라진 세태, 엄마들 정서

상담센터를 개원 한 후 이해하고 받아들여야 할 것은 예전과는 사뭇 달라진 엄마들의 정서와 태도였다. 나의 이력을 공개하였음에도 지자체에 연락해서 꼬치꼬치 캐묻거나 성에 안 차면 따지거나 쉽게 신뢰하지 못 하는 등 요구사항이 많았다. 세상이 하 수상하니 그럴 만도 하다고 눈높이 조절을 해야 했다.

발달재활 대상 엄마 중 바우처를 찍고 자기는 조금만 치료하고 돈을 돌려주는 방식으로 처리해 달라고 요구하는 엄마도 있었다. 다른 지역에서 그렇게 했다면서. 거절하였다.

맘 카페라는 공간에서 다양한 정보와 교류가 있다고는 들었지만, 작은 권력사회였다.

대장의 눈치를 보는 부하. 즉 주종 관계.

토요일 오전, 영유아 5명과 집단프로그램을 놀이치료사와 둘이서 진행하였다.

엄마들 주머니 사정 생각해서 비용은 매우 저렴하게 측정하였다.

맘 까페지기의 자녀와 몇 명의 자폐스펙트럼장애 아이를 데리고 와서 프로그램을 시작하게 되었다.

엄마 돌아가시기 전에 계획되었던 일이었고 돌아가시고 마음을 제대로 추스르지도 못 한 상태에서 프로그램이 시작되었다.

그룹 활동 시작하기 전에 이미 각 아동마다 개별 4회 이상을 마치고 그룹으로 들어갔기에 라포가 형성되었다고 보았다.

프로그램 호응은 좋았다. 개성이 강한 아이들이었지만 동적 활동, 정적 활동, 바깥활동 등 이제껏 해 온 경력을 바탕으로 다채롭게 구성하여 진행하였다.

6회쯤 되었을 때다. 맘 카페지기 자녀가 평소와 다르게 떼를 쓰며 간식에 대한 집착으로 다른 친구에게 가해를 가해 행동수정 접근을 하였다. 아스퍼거 성향이 있는 온순한 아이였는데 당시 스트레스 강도가 높았던 거 같다. 프로그램 마칠 무렵이어서 엄마가 치료실에 들어와 아이를 데리고 가 버렸다. 평소와 다른 엄마와 아이의 모습이었다.

아이가 떼를 쓰고 우는 상황에 민감해진 엄마가 치료실에 들어와서 아이를 데리고 말도 없이 가버리는 상황. 나의 대처방식에 문제가 있다는 항거를 하면서 말이다.

아이는 너무 많은 프로그램에 노출되어 스트레스 과다, 엄마는 병설유치원에서 받는 스트레스가 컸던 것으로 기억된다. 초기면담 때 이미 프로그램이 많으니 최소화하는 방향으로 논의하였음에도 더 많은 프로그램에 노출되어 있었다. 다른 엄마들은 카페지기 눈치를 봐야 하는 상황으로 프로그램은 그렇게 막을 내려야 했다. 권력이란 도처에 도사리고 있었다.

선택과 집중으로 나아가다.

반복
유사한 일이 반복되는 것은

중학교 2학년 때 반 친구들이 시골 오지에서 온 나를 반장으로 뽑아 주었다. 공부가 영향을 미친거 같지는 않고, 품성으로 먹힌 게 아닌가 싶다.

누구하고나 잘 어울렸지만 누구한테나 마음을 주진 않았다.

1년 동안 리더 역할을 제대로 했는지 여러 상도 많이 받았었다. 학업우수상, 체육대회 응원상, 웅변대회, 영어 암송, 그림 그리기 대회, 시(詩)전 등.

웅변대회에 참가할 친구가 없어서 급조해서 내가 참가했었고, 그때 반 아이들이 먹으라고 가져다 주었던 목청에 좋다는 생계란을 비롯한 각종 음식들. 반공 웅변대회였는데 공산당을 무찔러야 한다는 내용의 글을 직접 쓰고, 외우고 연습해서 학교 운동장 단상에서 외쳤던 기억이 있다. 지금 생각하면 너무나 유치하고 졸렬한 글 내용이었고, 다 못 외워서 난감해했었고 소리 높여 외치다 입에서 음식물이 흘러나와서 매우 부끄러웠던 기억도 있다. 그래도 장려상을 받았었다.

2학년 담임 선생님은 국어 과목 선생님이셨는데 학생들한테 관심이 없었던 건지 자율성을 주려는 의도였는지 별 간섭이 없으셨다. 전자가 더 어울리는거 같다. 그래서 내가 알아서 해야 할 역할이 많았던 거 같다. 그랬기에 더 재미있었던 것도 있었다.

3학년 담임선생님은 국사, 세계사 선생님이셨는데 나를 반장으로 지목하셨다. 선생님은 반듯하고 성실하고 도덕적이고 샌님 같아서 편하게 다가가고 싶은 성향은 아니었다. 중3이면 공부를 해야 하는데 왜 나를 반장으로 뽑았는지,, 내키진 않았지만 거절할 수 없었다.

학기가 시작되고 얼마 안 있어 선생님은 교무실로 조용히 부르시더니 반 아이들 중 요즘 말로는 문제 학생, 시쳇말로는 농띠들을 관찰해서 하나하나 리스트 작성해서 보고하라는 거였다.

참, 어이없고 말이 안 되는, 받아들이기 힘든 상황이었다.

흔히 말하는 전교 농띠들, 모두 우리 반으로 총집합한 상태였다.

그 아이들은 눈에 띄게 이쁘고 공부도 꽤나 잘하는 읍내에 사는 아이들이었다. 주변 남학교에서 인기가 많고, 이미 그 남학생들과 어울려 다니다 잡힌 적도 있는 아이들이었다. 그래서 집중관리가 필요하다고 판단한 거 같은데, 그걸 나한테 그런 식으로 요구를 할게 뭐람.

나는 그 아이들을 마음속으로 지지하고 좋아했었다. 대화도 통하고 나와 다른 세계관을 가진 아이가 재미있었다. 그 아이들 관심거리나 에피소드를 들으면 내가 경험하지 못한 미지의 세계에 속이 뻥 뚫리는 듯해서 흥미로웠다.

지시한 일을 시행하지 않자 선생님은 종종 다그쳤다.

"나를 반장으로 뽑은 이유가 이 일을 시키기 위해서인 듯. 아니, 내가 그런 얍쌉한 짓을 할 사람으로 보였나"

그 친구들은 아무것도 모르고 일탈한 자기들 이야기를 나한테

와서 늘어놓기도 했다. 누구와도 의논할 수 없고 어찌할 바 몰랐던 은밀한 나의 고민이었다. 혼자 감당하기 괴로웠었다.

끝내 선생님에게 고자질은 하지 않았다. 선생님은 어느새 나를 신뢰하지 않았다. 아마도 다른 누군가를 세워서 그 일을 시행하지 않았을까 싶다.

중3짜리 아이한테 그 일을 시키는 건 교사로서 본분보다는 조직 사회에서 자신의 안위와 권력을 앞세워 무고한 학생을 이용하는 거라고 생각했다.

초등학교 6학년 때도 마찬가지. 자신은 귀찮아서 하기 싫은 판서를 학생에게 시키고 학생을 실컷 활용하다가 거부하는 학생에게 준 선물이 어린 학생의 자존을 무참하게 밟아 궁지로 몰아 버리는 비열한 선생님.

세월이 흘러 흘러 직장생활을 할 때도 이런 경우를 경험하게 된다.

우리나라 굴지의 대기업 산하 복지재단에서 일을 할 때다. 거대 조직을 이끌어 가는데 필요 충분한 이유였는지 아직 명료하게 와 닿지는 않는다.

책임자로서 상부 조직에서 시키는 일을 수행해야 하는 입장이었다. 관심 직원을 관찰하고 보고하는 일말이다. 직원 3명을 그렇게 해서 떠나보냈다.

현재 기관을 운영하고 있는 비슷한 입장에서 상황을 재조명해 본다.

올챙이 한 마리가 흙탕물을 만든다는 신념에 의거한 조처로 보여지고, 운영자 입장에선 여러모로 주의해서 살펴야 하는 부분도 있겠지만 과잉 해석, 과잉 대응이 분명히 있었다고 본다. 그들의 가면 속 민낯을 보게 된 것이리라.

선명하게 드러나지 않는 희미한 거대 조직의 그림자가 주는 두려움, 인간 소모품, 과거 어린 시절 권위에 당당히 거절할 수 있었던 용기와 패기는 어디 가고, 그 일을 잘 수행해서 남들처럼 잘 살고 싶었나 보다.

그렇게 이용당하다시피 하고 계약 해지 통보를 받았을 때 나는…

"세상은, 삶은 이런 거구나!"

내 편인가 니 편인가 알 수 없는 노무사가 건넨 말.

"원장님이 설거지할 수도 있어요."

그때 눈치를 챘어야 하는데. 사회생활은 눈치로 하는 건데…

계약 해지 사유를 그렇게 물어도 변변한 답이 없었다.

세상을 바라보는 나의 안목과 태도의 편협함이었을까. 이럴 땐 어떤 지혜가 필요한 걸까?

생때같은 가슴에 응어리가 되어 끈질기게 괴롭히던 사건이기도 하다.

선택
갈림길, 당당한 선택과 용단

인문계로 갈 건지 실업계로 갈 건지 결정해야 하는 시점에, 집에서는 여자상업고등학교를 가라는 결정이 났다. 빨리 졸업해서 직장을 구해 돈을 벌어야 한다는 명제가 따랐다.

소유한 땅은 적지 않았으나 농삿일을 해 줄 사람들이 모두 도회지로 나가버린 산업화를 겪는 시기여서 예전 같지 않았다. 농사일을 해 본 적 없는 아버지가 농사일을 도맡아 하시는 시점이었다. 농업이 쇠퇴하고 제조업이 부상하는 시점으로, 농산물 생산량은 낮았고 가격은 저렴했으니 농사보다는 공장에서 일하는 것이 더 유용했던 시기였었다. 예전에 귀에 익은 부잣집이라는 소리가 무색했던 시기였다.

모두가 도회지로 공장으로 나가던 시절이었다.

대구시에 나가서 학교를 다니는 오빠 둘과 동생, 나 이렇게 네 명에게 학업을 지원하기엔 경제적으로 빠듯할 수밖에 없는 시기였다.

그 당시 동네 여자 친구들 반 정도는 초등학교 졸업하고 공장에 가서 돈을 벌어다 가계에 보태는 상황이었다. 어쩌다 명절에 얼굴을

볼라치면, 어린 내가 봐도 얼굴색은 하얗다 못해 누런 것이 핏기 없는 얼굴, 생기 없는 얼굴로 보였다. 한참 잘 먹고 성장해야 할 나이였음에도.

나는 호사스럽게 고등학교를 보내주겠다면 감지덕지해야 하는 상황이었던 거다.

그러나 나는 아버지와 담판을 짓기로 했다.

어디서 그런 에너지가 나왔는지는 모르겠지만, 나는 인문계를 보내달라고 요청했다.

아버지와 단둘이 대화를 나누며 설득했다. 인문계 고등학교를 보내주면 대학은 내가 알아서 가겠노라. 아버지는 빙그레 웃으며 "그래, 그러면 한번 해 봐라"

나를 믿어 주신 것에 이미 나는 좋은 대학을 나와서 좋은 직장을 구하고 돈을 많이 벌어서 가계에 보탬이 되는 딸이 되겠노라 꿈에 부풀어 있었다.

이미 오빠 둘은 대구 수성동 고모 댁에서 고등학교를 다니고 있었던 터라 나도 자연스럽게 그렇게 합류하게 될 거라 예상했다.

그 해 인문계고등학교 커트라인에서 나는 1점이 부족해 그야말로 2차라는 딱지를 가진 학교에 선정되었다. 학교 선생님이나 집에서도 당황할 수밖에 없었다. 물론 내가 가장 많이 당황스러웠겠지만.

큰오빠가 3학년 담임 선생님을 만나러 갔더니, 전화위복이 될 거라고 했다고 한다.

분화

아픔을 안고 다시 걷다

알싸한 아픔을 안고 대구에 있는 인문계고등학교로 진학을 하게 되고, 학업은 지속되었다.

많은 아이들이 1점, 또는 2점이 부족해서 그 학교로 모였다.

실패 경험이 있는 많은 아이들은 평균에서 밀렸다는 사실에 자존 감이 낮았고 상실감이 있었다. 학업에 집중하기보다 친구들과 노는 데 집중했고, 도시 생활에 재미를 붙였다. 이 친구 저 친구 사귀면서 3년을 보낸 거 같다.

1, 2학년 짝꿍이었던 친구는 고등학교를 재수했는데, 재수 시절에 만난 오빠랑 사귀고 있었고, 나이가 한 살 더 많았음에도 그 친구는 매우 어른스러웠다. 그 오빠와 사귀는 이야기를 종종 듣는 게 재미 있었으나 염려스러운 면도 있었다. 여자의 행동거지에 대해 운운하던 시절이었기에.

반면, 나도 언젠가는 저런 오빠와 아름다운 연애를 해야지 꿈꾸기도 했었다. 그 시기 하이틴로맨스 시리즈가 유행이었지만, 나는 그 책을 읽지 않았다. 환상적인 로맨스가 현실과 맞지 않고 학생이 그런 책을 읽으면 안 된다고 판단해서다.

중학생일 때 이미 나는 로맨스를 아름다운 과제라고만 볼 수 없는 사건을 경험했다. 엄마의 친구이자 아버지의 내연녀의 존재를 알아버렸기에 말이다. 여자의 행실에 민감하고 남녀문제에는 특히 예민하고 곁을 두지 않던 고지식하고 편협했던 엄마의 가치관을 존중해주기로 했다. 장독대 뒤에 숨어서 숨죽이며 울던 그동안 봐 왔던 강인한 엄마가 아니라 상처받은 여자의 모습을 봐 버렸기 때문이다.

고등학생 때 주로 친구들과 쪽지 편지를 주고받으며 감수성을 교류하고 친밀감을 쌓으며 소통을 활발히 했었다. 괜스레 말로 하기 보다는 편지를 써서 건네주고 그랬던 민감하고 감성이 풍부했던 시절이다.

짝꿍은 대학 졸업 후 바로 그 오빠와 결혼에 골인하였고, 아들 딸 낳아 잘 살고 있는 것으로 알고 있다.

고2 같은 반 친구와 함께

3년 내내 같은 반이었던 덩치가 산만한 친구가 있었는데 평소 말도 많지 않았고 굼뜬 스타일이었다. 그 친구와 관련된 일화는 무용 실기 시간에 일어난 일이다.

산만큼 덩치가 컸던 친구가 창작무용 실기 시험시간에 췄던 춤은 <소녀의 기도> 피아노에 맞춰 혼자 어설픈 듯 멈칫멈칫 다친 학이 날아오르듯 터버득 터버득 추던 춤이 떠오른다. 다들 혼자 안무를 짜서 추기가 뭐하니까 거의 모든 학생들이 4~5명이 팀을 이뤄 합을 맞추어 췄는데, 이 친구는 잘 추는 춤도 아니건만 혼자 어찌나 진지하게 집중해서 추는지 자신의 방귀 소리에도 아랑곳하지 않고 끝까지 췄었다. 춤에 집중해 있는 친구에게 들키지 않게 배꼽 잡고 웃었던, 즐거운 시간이었다. 점수는 최고점수를 받은 것으로 기억된다.

고등학교 수학여행은 충남 공주 부여 쪽으로 갔었다. 수학여행에서 기억되는 것은 백제의 유적 유물이 아니라 인자하고 점잖으신 교감 선생님이 해 주신 말씀이다.

우리의 일탈을 차단하기 위해서였는지, 우리를 모아 놓고선 술 한 잔씩 마시라며 어른 앞에서 마시는 건 괜찮다며 공식적으로 술 마실 기회를 주셨다. 나중에 결혼을 하면 절대로 남편에게 다 보여주지 마라. 조금씩 조금씩 보여줘라, 다 보고 나면 매력이 사라진다며 두 손으로 손짓 흉내까지 지으시며 해 주신 말씀이다. 지금와서 생각해 보면 관계에서 필요한 금과옥조 같은 말씀이셨다.

고2 같은 반 친구와 함께

탐구
변화의 흐름에 함께하다

큰오빠가 특수교육과가 취직이 잘 된다며 그 학과를 추천했다. 나는 그런 학과가 있는 줄도 몰랐는데, 취업이 잘 되고, 학교 선생님이 되면 좋다고 하니까 괜찮을 거라 여기고 그 학과를 선택했다.

학교 입학 후 대학교 캠퍼스를 보고 깜짝 놀랐다. TV나 영화에서 보던 캠퍼스가 아니라 고등학교 수준의 캠퍼스였기에 말이다. 거기다 5개의 특수학교가 둘러싸여 있어서 대학교인지, 특수학교인지 가늠이 안 될 정도였다.

3월은 수업 들으러 몇 번 안 나간 것 같다. 그러다 4월 1일부터 마음잡고 공부하자는 생각에 강의실에 들어갔는데, 누군가가 손으로 무언가를 하고 있었다. 수화를 하고 있었다. 남자 선배였는데, 수화하는 모습이 순간 아름답게 보였다. 수화하는 동아리 소속 선배라고 하였다. 바로 그다음 날 그 동아리에 입회했다.

동아리 활동하는 재미로 학교에 꾸준히 다녔던 거 같다. 물론 그 동아리엔 특수교육과 동기와 선배가 80%를 차지하고 있었다. 수화도 배우고, 정신병원 봉사도 가고, 애망원, 자유재활원 봉사도 하고, 친목도 도모하다 보니 대학생 기분도 났고, 차츰 특수교육과에 적응이 되어 가고 있었다. 이질감이 들지 않았고 동기 선후배들에 의해, 분위기 등 환경에 의해 사명의식이 싹텄다고나 할까.

<정신박약아의 이해와 원리> 강의 시간 누군가가 교수님께 질문하였다.

"지능이 낮은 아이들한테 무엇을 어떻게 가르칠 수 있습니까?

"정신박약아 중 최고로 똑똑한 정신박약아가 되도록 가르치는 거다. 그것이 자네들이 할 역할이다." 지금은 지적장애라고 칭한다.

젊은 시절의 기백과 맹랑함이 엿보이는 질답이어서 기억에 남는다.

수화 동아리의 타 학과 선배들은 인간적으로 느껴지는 선배들이 많았다. 동기, 선배들과 수업 끝나고 주점에 가서 막걸리도 마시고, 노래도 떼거지로 부르고, 여러 이야기도 나누면서 친밀해져 갔다.

타 학교 미술대학 다니는 동기 몇 명이 동아리에 들어왔다. 그 중에 유독 섬머슴 같고, 시원시원하고 쿨한 친구가 있었는데, 나와 캐미가 잘 맞아 단박에 친해졌다. 우린 거의 그림자처럼 붙어 다녔다. 나의 고지식하고 방어적인 태도는 이 친구와 있으면 자연스럽게 녹아버렸다.

이 친구는 뭐든지 가볍게 해석해 버리고 어떤 것도 자연스럽게 받아들이는 등 마법사 같은 매력이 있었다. 술을 과하게 마실 때 외에는 늘 새롭고 신선한 재미가 있어 서스펜스가 있었다. 재미 있는 사건을 만들어내는 심심할 일이 없는 삐삐(만화영화 주인공) 같은 친구였다. 이 친구와 한동안은 디스코텍을 열심히 다녔는데 입장료가 2천원이었다. 한 테이블에 콜라 한 병씩 두고 홀에 나가 흥에 취해 땀을 뻘뻘 흘리며 발산하는 놀이였다. 춤에 매료되어 있던 그 시기엔 밤에 자다가도 쿵쿵 울려대는 음악 소리에 벌떡 일어났던 기억이 있다. 아직까지 심장이 쿵쾅거리게 하는 그 음악은 단연코 런던보이즈의 1집 앨범 'Harlam Desire' 뒤를 이어 ' I'm Gona Give My Heart' 'London Nights' 모던토킹의 'You my heart you my soul' 'Brother Louie' ' 보니타일러의 'Holding for out Hero' 등…

이 친구를 통해서 나의 고정관념과 편견이 많이 깨졌던 거 같다. 고지식하고 꽉 막혀있는 나 스스로를 깨고 싶었던 무의식의 발로가 아니었을까.

그 친구는 대학 졸업 후 미술 학원에서 일을 했었고, 얼마 안 있어 미술을 하는 선배와 결혼을 했고, 친구의 생각보다 이른 결혼에 적잖이 놀랐었고, 나는 직장을 옮겨 다니느라 왕래가 끊겨버렸다. 그 다음에 일어날 일은 미처 생각하지 못 했다.

그 시절 통신수단은 오로지 집 전화, 편지뿐이었으니. 삐삐도 그 당시엔 없었던 시절이었다. 소식이 무척 궁금한 친구다. 어떻게 변했을지, 어떻게 살고 있는지. 수소문해 봤지만 찾을 수 없다.

2학년이 되면서 6. 10항쟁 등 시절이 하 어수선하다 보니 나도 자연스럽게 사회 분위기에 관심이 가지 않을 수 없었다.

그러다 시위에 동참하게 되고 시대적 흐름과 이슈, 문화에 동참하게 되었다.

3학년 때, 작은 캠퍼스에 놀이패동아리가 만들어졌다. 가입 후 동아리 활동을 하였고, 탈춤, 풍물, 마당극을 접하면서 사회과학, 미학에 대한 관심이 생겼다.

고성오광대 5과장 중 각시 탈을 쓴 나

동아리 풍물전수 : 빨간 티셔츠 입은 나

학과 공부나 활동보다는 동아리 활동에 매진했던 나다. 그 전 열심이었던 수화 동아리는 탈퇴를 하게 된다. 그렇다고 해서 그때 좋았던 동기나 선배들과는 인연을 끊어야 할 이유는 없었다.

긴 방학 동안 풍물이나 탈춤을 전수관에 가서 받곤 했다. 탈춤 전수에서 낯익지 않은 사람이 있었다. 타 학교 의대를 다니다 휴학을 하고 자숙을 하고 있던 휴학생이었는데, 동아리 실에 와서 풍물을 가르쳐주곤 하던 사람이었다. 같은 과 학우와 논쟁을 하다 반박 논리가 부족한 사람이 자퇴를 하는 걸로 내기를 걸었다가 자퇴인지 휴학인지를 하게 되었다는 재밌는 사람이었다. 그 당시엔 호기를 부리는 사람들이 꽤나 있던 시절이었다. 풍물 배우러 다니느라 유급되었다는 설도 있었다. 후자가 더 설득력이 있어 보이지만, 둘 다 해당되지 않았을까.

그는 하얀 고무신을 신고 다니면서 하늘을 쳐다보며 걷곤 하는 스타일이었다. 의대생이라는데 뭐 변변하게 똑똑해 보이지도 않았다. 쭈뼛쭈뼛 해 하며 실수도 잦고 허당투성이다 보니 인간적인 묘미가 느껴졌다. 콩당콩당 설레이는 감정이 올라오고 있는 시점에 그도 그랬는지. 기침과 사랑은 속일 수 없다고 하듯, 누가 먼저랄 것도 없이.

어설프고 서툴러서 도시를 배회하며 데이트를 어떻게 해야 하는지 막막해했던 촌스러운 기억, 의학 공부가 적성에 맞지 않아 진로고민을 들으며 한없이 걷기만 했던 기억. 고향이 어촌, 가난한 가정의 장남이었는데, 바지락을 캐서 내다 파는 고생하는 어머니에 대한 아련함이 있었고, 풍물을 가르치며 자신도 어부가 되고 싶은 꿈을 가지고 있었다. 가난한 가정의 장남, 의사가 되어 집안을 일으켜야 하는 막중한 부담이 있었던 사람이었다.

그러다 그는 복학한다며 다른 도시에 있는 학교로 돌아갔고, 몇 번의 편지와 만남으로 왕래하다 자연스럽게 서로 자신들의 삶에 집중하다 소원해지고 그러면서 점점 멀어졌다. 후문에 의하면 우여곡절 끝에 의사 선생님이 되었다고 한다.

나의 4년간 대학 생활은 공부보다 관계가 중심이었다. 사람 만나서 이야기 나누고 친밀해지고 서로 살펴주고, 도와주고 하는 생활에 만족해 했던 거 같다.

2학년 때 전공이 세부적으로 나눠지고 커리큘럼이 심화되었다. 그런 와중에 3학년이 되면서 한차례 요동이 있었다.

치료교육 전공을 선택했는데, 문과 계열이었던 특수교육학과에서 치료교육 전공은 이학계열로 나눠지다 보니 등록금은 높은데 치료 실습은 체계화되어 있지 않고 명확한 진로 계획이나 설정을 할 수 없는 점 등으로 치료교육 전공 학생들은 들고 일어났다.

특수교육이면 치료나 교육이 중심이 되어야 한다는 나의 생각은 그런 심각한 요동에도 변화가 일어나지 않았다. 다른 전공 파트에서 미진한 심리나 정서, 학습에 특화되어있는 면이 있었고, 뭔가 모르게 전문적이고 심화되었다고 여겼기에 많은 동기와 선배들이 초등교육 전공으로 바꿨지만 나는 바꾸지 않았다. 그 당시엔 전국 어디에도 없었던 선진적인 커리큘럼이었다. 그 커리큘럼을 기조로 재활과학대학이라는 단과대학이 형성된 것을 보면 말이다.

특수교육과 치료교육 전공 소속 교수님들은 재활과학 대학으로 소속을 옮겼고, 치료교육 전공은 재활과학대학의 모태가 되었다. 치료교육 전공 출신들의 위상과 입지는 흔적도 남기지 않은 채 거품처럼 사라졌다.

전공을 바꾸지 않은 연유로 겪어야 했던 고초는 엄청났고 아직까지 진행 중이지만, 지금까지 단 한 번도 나의 선택을 후회한 적은 없다.

4학년 때는 학과 학생들이 도서관에서 임용고시를 준비했다. 치료교육은 임용이 날 여지가 없었다. 그러함에도 불구하고 정보 없고 그 무엇도 없었지만 임용고시를 대비해 공부하는 치료교육 전공 학생은 있었다. 언젠가는 공립학교 치료교육 교사가 될 꿈을 위해.

도약
니가 진짜로 원하는 게 뭐야?

　대학 졸업 후 6개월 정도 본가에서 기거하며 여행도 하고 쉬다가 치료교육 전공한 선배가 운영하는 그 당시 말로는 '조기교육실' 또는 '언어치료실', '클리닉'에 출근을 시작했다. 그때 엄마들은 3개 중 언어치료라고 칭하는 것을 좋아했다. 내방 하는 아이들 모두 공통적으로 언어에 어려움을 보였으니 쉽게 관찰되는 것에 초점을 두었을 것이다. 눈에 잘 보이지 않는 많은 것들은 배제된 채.
　가벼운 외상은 눈으로 볼 수 있으니 연고를 바르는 등 빠른 처치에 덧날 일이 거의 없지만, 잘 보이지 않아서 오랫동안 방치하다가 큰 병으로 키우기 일쑤다. 알고는 있지만 놓치기 쉬운 면이기도 하다.
　자폐나 지적장애, 뇌병변, 뇌성마비, 청각장애 등 가벼운 정도에서 중증까지 다양한 장애아동과 청소년, 성인에 이르기까지 언어, 행동, 심리치료를 하기 위해 찾았던 치료실이었다. 요즘 치료실에서 사용하는 모델과 유사한 모델이었고, 지금보다 훨씬 선진적인 시스템으로 운영되었던 사설 치료실이었다고 감히 말할 수 있다. 온전히 개인이 자금을 대고 개인의 능력에 따른 운영시스템이었다. 경북 지역에 거주하던 엄마들이 아이를 데리고 치료실 주변으로 이사를 와서 오직 치료에 매달렸다. 갈 곳이 없으니 아이를 데리고 매일 치료실에 왔다. 장애가 있는 아이로 인해 이혼이 거론되고 이혼을 한 가정도 수월찮게 있었다. 그런 엄마들 쌈짓돈 받아서 운영하고 급여 받던 시절이었다. 정말 쥐꼬리만 한 월급은 학교 선생님으로 간 특수교육 전공 동기들과는 엄청난 차이가 있었다. 그럼에도 불구하고 제대로 전문성 있는 일을 한다는 자긍심은 있었다.

치료실을 운영하는 선배는 진취적이고 활동성이 강한 운영자였다. 부부가 같은 치료교육 전공 출신의 선후배 사이였고, 열정과 도전 등 자신의 일에 집중하고 매진하는 부부였다.

선생님들끼리 매주 컨퍼런스를 통해 스터디, 사례 연구 등을 하면서 교과과정에서 열악했던 임상에 대한 공부를 지속적으로 하였다. 받는 돈은 열악했지만 제대로 전문가로 거듭날 수 있다는 자부심에 교과과정에서 부족했던 전문성을 확보하기 위해 이론과 실전에 매진했던 시간이었다.

자폐 성향이 강한 아이들이 많아서 때로는 힘으로 제재를 가해야 하는 경우도 많았고, 치료사의 말과 몸짓 하나에 희망과 절망의 기로에 서 있는 부모에게 희망의 끈 놓지 않게 하기, 장애 제대로 알기 등 전문가로서 해야 하는 역할은 컸다. 가장 우선은 절대 공감, 동고동락을 함께했던 가족이나 다름없는 한 편이었다.

그러나 쉽지 않은 행군이었다. 돌이켜보면 열정과 패기라는 단어 이외는 설명할 수 없는 부분이다.

대구 시내 사설 치료실이 6개 있었던 시절이다. 그야말로 소수 정예. 협회가 형성되어 일가친척 만나듯 종종 모여서 사례회의와 케이스스터디 등 열심이었다.

그렇게 모이고 만나서 서로를 부추기고 토닥였지만 한 사람 두 사람이 학교로 학교로 떠나갔다. 나 또한 기류에 휩쓸리다시피 중등 기간제교사로 멀고 낯선 도시로 떠나게 되었다.

전남 S시에 위치한 특수학교에서 기간제교사로 치료교육 전공 직속 후배와 함께 근무했었다. 그 도시에서 시민단체 활동을 하였고 멋진 여성들을 만나 다양한 경험과 온정을 나누었던 시간이었다. 배운 여성임에도 배운 티 내지 않고 도식적이지 않으면서 소박하고, 풍류를 아는 그녀들은 내가 만난 여성들 중 가장 진솔하고 삶의 지혜가 있는 사람들이었다.

후배는 그 학교에 기간제교사로 머물다 T.O가 생겨 지금은 정착해서 살고 있다.

그 도시를 떠나오고 나서도 그녀들과 어느 시기까지 만나고 교류했었지만, 결혼이라는 발달과제 앞에 다들 뿔뿔이 흩어지게 되면서 물이 흐르고 물줄기가 나눠지면서 자연스럽게 맥이 끊어졌다.

나 또한 사람을 살뜰하게 챙기는 스타일이 아니다 보니 마음과는 다르게 맥없이 이별 앞에 놓이게 되었다.

확장

특수에서 통합으로

서울에 위치한 장애인복지관은 치료실과는 다른 분위기의 모형이었다. 내가 해야 할 업무는 치료실이나 특수학교와 크게 다르진 않았다. 사회복지와 정책이 반영된 곳으로 정부 지원이 있다 보니 내담자를 향한 내 마음에 여유가 더해진 거 같다. 조기교육실 소속으로 역할을 다했고 자폐성향의 아이들이 주를 이루었다. 어린이집이나 유치원에서 내몰리던 시기였다.

통합교육지원반을 담당했는데, 특수교사가 어린이집이나 유치원으로 가서 통합할 수 있도록 지원하는 프로그램이었다. 우선, 원장에게 장애를 이해시키는 일, 해당 반에 입실해서 담임교사와 친해지고 아이를 반에서 선생님이나 또래와 상호작용하며 잘 적응할 수 있도록 돕는 일이 주 업무였다. 유아교사나 원장을 대상으로 하는 장애 이해와 방법에 대한 세미나 개최, 장애 인식개선 프로그램 등 치료만 하던 나한테는 또 하나의 재미였었다.

통합(Mainstreaming, 주류화)이란 단순히 일반유아와 장애유아가 물리적으로 통합되는 것만이 아니라 장애유아의 특성과 기질, 발달 수준을 고려한 독특한 개별적 요구에 따른 개별화 교육프로그램

(IEP)이 통합 환경에서 제공되는 것을 의미한다. 즉, 'Inclusion' 이 아니라 'Mainstreaming'인 것이다.

그런 일을 지속적으로 하면서 일반유아들과 긴밀한 상호작용하는 방법이 궁금해서 대학원은 유아교육, 석사논문은 생태학적 변인이 장애유아의 유아기관 적응력에 어떤 영향을 미치는지와 관련한 주제로 작성하였다.

장애인복지관에 근무하면서 사회복지에 대한 의미와 필요성을 인식하여 사회복지사 공부를 하였다. 시설과 환경이 열악한 신림동 지역아동센터에서 사회복지실습을 하였다. 그때 만난 아이들은 이전에 만나 왔던 아이들과 다른 면을 보게 되었다. 가정환경이나 경제적 어려움으로 인해 나타나는 아이들의 심리 및 정서가 크게 보였다.

전환

직진에서 뉴턴, 그 묘미

　기간제교사 생활 중 서울 대학로에서 연극공연을 보게 되었다. 버지니아 울프 원작 <자기만의 방>이었다. 혼자 연극을 보는데, 온몸에 전율이 흘렀다. 배우는 이영란씨. 작은 체구의 그녀였지만 내 뿜는 에너지는 관객의 마음을 놓았다 잡았다, 울렸다 웃겼다 하며 혼자 긴 시간 연기를 하는 모노드라마였다. 연극의 매력. 아니 배우의 매력에 혼이 나갔다고나 할까.

　<자기만의 방>은 여성의 물질적, 정신적 독립의 필요성 즉, 홀로 서기와 고유한 경험의 가치에 대해 역설하며 여성의 삶을 깊이 있게 조망하는 작품으로 20세기 버지니아울프가 던진 울림은 지금까지 내 삶에 큰 비중을 차지하고 있다.

　저런 멋진 연기를 해서 사람의 마음을 사로잡아 보고 싶다는 생각을 가지게 되었다. 그리고 얼마 후 대구에 있는 극단에 들어갔다. 그때 나이 20대 후반이었다.

　염원한 탓이었을까. 내가 맡은 배역 중 정신대 위안부 피해자이신 故김학순 할머니의 커밍아웃을 독백으로 처리하는 장면이 있었다.

　고단했던 故김학순 할머니의 삶의 고통과 무게를 긴 호흡으로 끌고 가야 하는 섬세하고 난이도 높은 연기를 해야 했다. 연출가 선생님이 유난히 그 배역에 애정이 깊으셔서 요구사항이 많았고, 선생님의 요구를 충족해 주지 못한 듯해 심란해했던 기억이 난다.

그 후, 할머니 배역은 항상 내 차지가 되어서 속상했었다.

극단 생활은 경제적으로는 궁핍했지만 역동적이었고, 오로지 그것에 몰입하는 삶이었고, 행복감을 맛보게 한 경험이었다.

기획, 배우 등 언제나 쉴 틈 없이 바빴고 개인보다는 공동체, 생활보다는 배우, 가족보다 단원, 민족극 또는 마당극, 집단창작을 지향하는 극단이었고 그래서 모두가 일당백이었다.

지역 극단에서는 특화된 존재로 자리매김하고 있었고, 각양각색의 단원들이 생기발랄 고군분투했던 시절이었다. 기라성 같은 선배들, 창립 멤버들이 전문성이라는 기치 아래 극단에 참여하고 의견을 제시하고, 기획과 배우를 분화시키는 과정에서 누구는 배우, 누구는 연출, 누구는 기획으로 나눠진다. 그동안 잠재되어 있던 각각의 욕망들이 수면 위로 올라오고 그것을 보고 있는 나는 불편했다.

그런 와중에 3년이 지나자, 지방의 창작예술이 주는 의미와 한계를 직감해야 했고, 더불어 나의 임계치를 직면하게 된다. 더 나아가기 힘들겠다는 확신이 들었다. 그리고 깊어가는 가을 어느 날, 낙엽이 수북이 쌓인 거리를 뒤로하고, 나의 개인 사물함에 개인물품은 고스란히 둔 채, 아무하고도 인사를 나누지 않은 채, 여느 때 마냥 극단 문을 나옴으로써 연극배우의 삶으로부터 퇴장하게 된다. 그게 예의라고 생각했다.

극단 최고 고참 선배 왈 "들어오는 사람 안 말리고 나가는 사람 안 붙잡는다" 는 말을 종종 들어서 일게다. 자신이 한 선택에 책임을 지는 것을 어필하려는 의도로 이해했다. 그리고 어느 한 켠엔

끝까지 함께하지 못하는 것에 대한 미안함이 있었을 것이다. 남아 있는 사람에겐 배신의 감정일 것이다. 3년 넘게 거의 매일 동고동락했던 가족 같은 사람들이었다. 누구와 상의할 사안이 아니라 개인이 판단해야 할 문제라고 여겼다.

그 이후, 20년이 넘도록 단원 누구도 내게 연락을 하지 않았고, 나 또한 찾아가지도 연락을 취한 적이 없었다. 그렇게 나의 마음 한 구석에 꾸겨 넣어 놓기로 했었다. 그런 시간들이 지나고 대구 하향을 기점으로 후배의 연락을 통해 극단을 다시 찾게 되고, 아무 일도 없었던 것처럼 고향에 돌아온 듯. 지난날을 회상하며 함께였던 젊은 날 추억의 시간여행에 젖어보기도 했다.

극단 단원들과 함께

서울 민족극 한마당 공연을 끝내고

관조 : 당신은 누구입니까?

불이

몸과 마음은 하나. 심신일체

어렸을 때는 나대지 않고 점잖아서인지 경상도 말로 '처연타' '참하다' 라는 말을 들으며 자랐다. 시내버스 요금을 초등학생용으로 내면 운전기사가 고등학생인 줄 착각하고 뭐라 했던 기억이 있다. 중1까지 키가 자라고 그 후론 멈춰버렸다.

음식 가리는 거 하나 없이 잘 먹고 잘 자고 사랑받으며 걱정 없이 살았으니 키도 무럭무럭 자랐을 것이다. 고등학생 시절부터 부모와 떨어져 살다 보니 부모에 대한 정(情)은 남달랐던 거 같다. 성인이 되어서도 본가에 갔다가 돌아올 땐 어찌 서운함이 크던지.

중학생 때 가사시간에 배운 '타래과' 라는 꽈배기처럼 생긴 과자를 만들면 동생이 좋아했고 엄마한테 칭찬을 받곤 했다. 엄마는 딸들을 아끼는 마음이 컸는가, 성에 안 찼는지 음식 만드는 법을 맡기지 않아서 주로 요리는 거들거나 구경만 했었고, 그 덕분에 동생과 나는 요리 솜씨가 젬병이다.

우리나라 음식이 그렇듯이, 어느 집이나 된장 맛 고추장 맛이 음식 맛을 내고 돋구는 법이다. 울엄마표 된장 맛과 간장, 고추장 맛은 일품이었는지 많은 사람들이 얻어가곤 했었다.

짭쪼롬하니 깊이 우러난 된장, 달싹하니 짠맛이 나는 간장, 맵콤 달콤하니 입 맛 돋우는 고추장 맛.

아버지 돌아가시고 중년이 된 나와 엄마는 가을걷이가 마무리될 즈음 밭두렁에 있는 노란 콩을 낫으로 베고 햇볕에 널어 바싹 말리고 도리깨로 타작을 한다. 콩을 간추려 고르고 골라 물에 불리고 가마솥에 삶은 다음 바로 메주 박스에 삶은 콩을 넣고 몸무게 많이 나가는 내가 올라가서 꼭꼭 밟는다. 부드럽고 반듯해진 메주는 당분간 따뜻한 아랫목에 모셔뒀다가 바람과 햇빛, 찬 기운이 있는 마당 한구석에 걸어서 건조 시켰다. 그렇게 겨울을 지내고 나면 메주가 된다. 우리네 발효음식이 이렇게 몸을 하염없이 움직이고 정성을 다해서 만들어지는 것이다.

건강의 반은 음식에서 시작이다라고들 하지 않던가.

토종음식을 먹고 자란 탓인지 인스턴트 음식은 별로 좋아하지 않는다. 솜씨는 없지만 손수 재료를 사서 만들어 먹으려고 한다. 센터 인근 신매시장에서 시골에서 바로 올라오는 자연산 채소와 발효식품을 구입해 엄마가 하던 방식을 떠올리며 요리를 해 본다. 밀키트 사용은 어쩌다 한번 씩 사용한다. 엄마 돌아가시고 종종 깍두기나 열무김치 정도는 담궈 먹었고 손이 더 가는 배추김치는 귀한 음식이 되었다.

김치가 그립다

아무것도 하기 싫다며 울부짖는 아이의 말
미안함과 안타까움
이것을 한계라 하는 거겠지.
움츠리고 앉아 그저 버티고만 있는 엄마의 몸짓
어디서부터 다시 시작해야 하나
다시 시작할 수는 있는 걸까
엄마의 뇌리를 스쳐갔을 것들이다

김치 바리바리 사 주던 울 엄마
나는 김치를 좋아하지 않는다며
냉장고에 묵혀 두었다 끝내 버린 김치들
파김치 정구지 김치 배추김치 물김치 무장아찌
김치가 싫었다.
도시락 반찬으로 김치가 연달아 나올 때
부끄러웠던 김치다.

김치의 생명은 적당히 베인 소금끼
너무 익히면 신선함이 떨어지고
덜 익히면 풋내가 나
김치 같지 않다

적당히 소금에 절인 김치가 맛있다며
간간이 간을 보며 공을 들이는 김치 비법
한 번쯤 배워보려고 나설 법도 했건만
김치 정도는 안 먹어도 괜찮다 여겼다

보잘 것 없어 보이는 김치가
어떤 음식보다 일품인 김치
밥상에 보이지 않으면 땅에 흙이 없는 거 같은
어떤 음식보다 일품인 김치
그 김치가 그립다

사람도 그러하리라
적당히 절여진 사람에겐 깊은 맛이 우러나고
삶에서 담담해질 수 있는 여유와 힘에서 느껴지는 기품
그 사람 김치가 그립다

적당히 잘 삭힌 김치를 냉장고에 보관할 때쯤이면
서서히 익어가며 입맛을 한껏 돋울
깊고 풍부한 맛을 기대하게 된다.

너무 삭힌 김치는
외면당하기 십상이고
덜 익힌 김치가 냉장고에 보관되면
이게 김치냐고 너스레를 떤다.

적당히 잘 익은 김치가 그립다
그런 사람 김치가 그립다.

돋보이진 않지만
없으면 찾게 되고
뒷맛이 깔끔하고 담백한
약 방에 감초 같은
김치가 그립다.
잘 익은 사람 김치가 그립다.

얘야, 익어가는 중이란다.
재미없고 귀찮더라도
조금만 더 힘내 보면 안 되겠니
조금만 더 버티고 애쓰다 보면...

지금의 이 시간이
한 때
아름답고 값진 추억으로 남게 될 터이니.

2020. 9. 9 作

나는 어릴 때부터 춤추는 걸 좋아했었나 보다.

동생과 거울 앞에서 한껏 뽐내며 노래와 율동을 함께 했던 기억이 생생하다.

커 가면서 그 시대마다 유행했던 훌랄라춤, 하와이춤, 디스코춤 등을 즐겼고, 대학 들어가서 서너 달 친구와 디스코텍에 가서 춤에 빠져 있었다. 해방감이었을까?

콜라 한 병 시켜놓고 늦은 밤까지 땀에 흠뻑 젖어 추던 그 시절을 떠올리면 피식 웃음부터 터져 나온다.

런던보이즈의 할렘디자이어 같은 비트가 강렬한 음악은 심장을 쿵쾅쿵쾅! 지금 들어도 몸이 들썩들썩! 귓전에 울려대는 굉음 소리!

그 흥에 못 이겨 친구와 디스코텍으로 갔던 기억이 있다.

흔히 떠올리는 심쿵 로맨스나 불미스런 일은 일어나지 않았고, 오로지 댄싱 삼매경! 신체 단련! 건강한 정신! 몰입의 상태, 이상도 이하도 아니었다.

온몸으로 희열을 맛본 순간이었다.

춤을 춘다

춤을 춘다
큰 깨달음을 얻은 날
마음이 무거운 날
속상한 날
춤을 춘다

춤을 춘다
기뻐서 어쩔 줄 모르는 날
몸이 근질근질 한 날
마음이 꼰질꼰질한 날
찌뿌둥한 날
운동부족으로 몸이 더 무거워지고 있다고 느끼는 날
춤을 춘다

나의 춤을 많은 사람이 구경했으면 한다
어설프지만 온 마음으로 추는 춤

내 춤이
섹쉬했으면 좋겠다
긴박했으면 좋겠다
나의 몸짓이 마음 짓이 되어
구경군에게 전달됐으면 좋겠다.
누군가가 유혹 당했으면 좋겠다.

내 춤은 심금을 울렸으면 좋겠다.
주제와 내용이 잘 전달되었으면 좋겠다.

드루와 드루와 내 몸으로
내 마음 안으로

흥에 못 이겨
춤을 추지 않고는 도저히 참을 수 없는 날
허리가 어서러지도록 춤을 춘다
허리야 부서지든 말든 내 힘껏 놀려본다

정체불명의 춤을 춘다
몸이 가는 대로 흥이 흐르는 대로 음악 따라
흠뻑 쏟아내고 나면 그 없이 가벼워라
내 안 불순물이 빠져나와 정화가 된다.
나는 춤을 춘다
행복이라는 날개짓을 위해
준엄한 의식을 치른다
나 아직 건재함을 세상에 알린다.

의식의 세계에서는 이해할 수 없는
내 혼을 불러본다
내 몸과 혼이 나인가?
모르는 자아가 나와 친구한다.
살아있음의 진수를 만끽한다.

2021. 9. 10 作

생 사
어린 영혼, 하늘로 가다

　초등학생 시절 할배와 할매의 죽음을 보았다. 그 시절 장례 의식에서는 주검을 직접 볼 수 있었고, 동네 아재 중에 한 분이 직접 염을 하는 장면까지 지켜보았다. 냉동되지 않은 딱딱하게 굳은 주검을 보는 순간 간이 서늘해졌다. 눈을 막고, 코를 막고, 입을 막아 결혼할 때 입는 날개옷 입고 연지 찍고 곤지 찍고 꽃단장하는 등.

　초상집 마당에 조문객과 초상 치르는 사람들이 와자지껄, 웅성웅성거리고 곡소리, 울음소리, 염불 소리 등등.

　단말마처럼 떠오른다. 그리고 관은 상여에 태워서 장정들이 어깨에 둘러매고 묘지로 가며 부르던 상여소리.

앞에 사람이 종을 흔들며
"어홍 어홍 어황차 어홍" 하면
"어홍 어홍 어황차 어홍" 하며 뒤따라 부른다.
"이제 가면 언제 오나 ~~ "
동네 어른이 돌아가시면 어김없이 들려왔던 상여소리다.
뭔가 비장한 듯 잘 가라고 마지막 인사하러 배웅 나온 동네 사람들. 지나가는 상여를 쳐다보며 먼저 가라며 곧 따라가마 라며 눈물 훔치던 장면이 선하다.

그 시절 할배 할매의 죽음이 뭔지도 모른 채 그냥 슬펐고 머릿속 이미지만 가득하다.

이모를 좋아하던 여동생 딸이 난치병에 걸려 1여 년 병치레를 하다 하늘나라로 갔다.

석사논문 쓰는 해였는데, 논문을 어떻게 썼는지 기억도 안 난다. 논문은 써야 하고 이쁜 조카는 많이 아프고 내 마음 하나 추스르는 것조차 힘이 들어 갈팡질팡했었다.

유난히 피부가 하얗고 영롱하고 영특하고 하는 짓이 예뻤다.

평소 천사 그림을 참 많이 그렸다. 인지학의 루돌프 슈타이너 철학적 관점에서 보면 10세 미만의 아이들은 하늘과 연결되어 있다고 한다. 영혼이 아직 땅에 다다르지 않은 영(靈)의 상태. 어린아이가 죽으면 쉬쉬하는 건지. 어른이 돌아가셨을 때와는 사뭇 달랐다.

조촐하니 그렇게 보냈다.

말도 빠르고 노래도 잘 부르고 글씨도 빨리 익혀 서울에 있는 이모에게 편지도 곧잘 써서 보내곤 했다. 대구에 언제 올 거냐며. 빨리 대구 오라며.

'무조건' 노래를 부르며 살랑살랑 춤을 추던 장면이 떠오른다.

그 이후로 아무도 그 아이를 거론하지 않았다. 가슴 밑바닥에 묻어 두기로 모두가 약속이라도 한 것처럼. 자기도 모르게 불쑥 튀어나오면 얼른 삼켜야 했다. 국룰이 되어 버렸다.

동생 눈치를 보다, 아니 동생이 없을 때도. 모두가 떠올리기가 힘들어서 그랬을 것이다. 혼자서 병간호를 하는 여동생한테 도움이 못 되어서 미안하고 미안했다. 얼마나 힘들었을까.

동생의 의연해 보이는 모습, 담담하게 비치던 모습이 더 마음 아리고 속이 상했다. 아픈 아이와 병실에서 어떤 고투를 하며 하루하루를 보냈을지 뻔히 보였고, 논문이라는 숙제 때문에 자주 위문을 하지 못해서 미안했고, 현실적인 도움을 줄 수 없다는 게 가장 처참한 현실이었다.

.관조 : 당신은 누구입니까?

생 사
남은 자들의 비극

할매와 아버지는 뇌 신경계 쪽에 문제가 생겨서 급작스럽게 돌아가셨다. 할매는 머리 감으시다가 돌아가셨고, 아버지는 머리가 아파서 병원에 검사하러 가셔서 병원에 입원까지 했는데 그날따라 연휴 기간이라 전문의 부재중으로 응급처치가 미흡해서 돌아가셨다.

손아귀 힘이 약해져서 물건을 떨어뜨리는 등 의심되는 면이 있어 가까운 병원에 가셨는데 의사가 입원을 권유해 입원까지 하셨다는 말을 전해 들었다. 직장에서 급히 해결해야 할 문제가 있었지만 어렵사리 휴가를 내고 파티마병원으로 갔다.

작은오빠는 연휴 기간이었지만 일정이 있는지 잠깐 들렀다 수원으로 올라갔고 큰오빠는 오지 않았다. 환자복 입은 아버지는 병문안 오신 분이랑 웃으며 잘 지내고 계셨다. 우리에겐 아무 일이 일어나질 않을 거라고 확신하는 듯. 그래서인지 엄마는 밭에 가서 고구마 제때 캐야 한다며 집에 빨리 가자고 나한테 다그쳤다. 아버지는 링겔을 꽂고 병원 밖까지 배웅을 나오셨고 그게 마지막이 되었다.

본가에 와서 자고 다음 날 아침에 일어나자마자 아버지한테 전화를 드렸더니 아침 식사도 했다고 하시고 별일 없다고 하셨다. 병원

밥이 싫어서 수성동 고모가 그 전날 갖다 놓은 식은 밥을 드셨다고 하셨다. 그리고 1시간 안 되어 같은 병실 환자 보호자께서 빨리 오라고 연락이 왔다.

부랴부랴 1시간 남짓 걸려 병원에 가서 보니 아버지 얼굴과 몸은 퉁퉁 부어 있었고, 이미 정신은 없어 보였고 말문은 닫은 상태였다. 수술 동의서라며 여러 장에 사인하고, 여러 검사를 완료한 후 아버지는 수술실로 들어가셨다. 수술실 입구에서 침대를 붙잡고 힘주어 말했다.

"아버지 잠태라예. 수술 잘하고 오이소. 제가 엄마랑 여기서 기다리고 있을게요. 두어 번 반복했을까, 갑자기 아버지 상반신이 벌떡 일어났다. 강렬한 반응이었다. 의식이 있다는 거다. 옆에 있던 전공의들도 깜짝 놀라는 눈치다.

아버지 장례를 마치고 직장으로 복귀를 했다. 재단에서 회사로 들어오라고 했다. 불안한 징조다.

나쁜 일은 한꺼번에 온다고 했던가.

그해 가을에 아버지의 죽음과 직장 해고를 맞게 되었다.

직면
엄마의 죽음 앞에서 나는

　직장 해고를 당하고 1여 년 후, 서울살이를 마무리하고 하향을 선택했다. 엄마 옆에 가기로 했다. 엄마 옆에서 5년을 살았다.

　평소 종종 하고 다닌 말이 있다. 죽은 조상보다 산 조상 모시련다.

　아버지 갑자기 떠나보내고 나니 부모와 함께 할 시간이 많지 않다는 것을 알게 되었다. 엄마는 자녀 넷이 모두 서울로 와 있었으니 외롭고 아쉬운 면이 많았을 것이다.

　연령이 높아지니 몸 건강이야 점점 나빠지는 건 어쩔 수 없는 일일 테고.

　엄마와 병원 가서 약 타기, 제사 장 보러 다니기, 대중목욕탕 다니기, 의견충돌로 종종 싸우기, 맛 나는 거 먹기, 시체 놀이 등을 하면서 엄마의 고지식함과 순수하고 구여운 모습에 자지러지기도 했다.

　센터 오픈 초창기라 경제적 상황이 좋지 않을 때라 해 드린 게 없다.

　그해 여름은 유난히 더웠다. 콩국수를 자주 먹으러 갔었다. 오롯이 엄마와 나 둘이었다. 더운 여름휴가 기간에 수도권에 거주하는 자식들은 아무도 내려오지 않았던 것이 마음에 남는다.

엄마가 미용실에서 머리 파마를 하러 갔다가 버스정류장이 여기로 가야 하는지 저리로 가야 하는지 한참을 헤매다가 다른 이의 도움으로 무사히 집으로 오셨다는 후일담을 들었다. 콩죽 같은 땀을 뻘뻘 흘렸다면서.

순간 아찔해졌다.

추석이 다가오니 벌초를 해야 하는데 큰 오빠가 엄마한테 벌초꾼들 식사 준비를 하라고 했단다. 맏며느리 둘째 며느리는 시댁에 오지 않으니 당연히 팔순이 넘은 노모와 나 둘이서 하라는 말이다. 예전 제사나 집안 행사 때 먹고 싸가던 그 많던 사람들은 어디로 갔는지 이런 행사에 도와줄 사람 한 명 없었다.

그런데, 엄마가 평소와는 다르게 큰오빠의 말을 곱씹었다.

엄마는 준비하지 않았고 나는 참석하지 않았다.

벌초하는 전날 오후 5시 반 즈음에 엄마한테서 전화가 왔다. 두 아들이 왔는데 반찬거리를 준비하지 않고 왔다고 한다. 두 아들은 볼일 보러 나갔다고 한다. 기운이 없어서 소파에 누워서 전화한다고 했다. 어떤 심정이었을지 충분히 전달되었다. 서로 마음이 심란해서 오래 통화하기가 힘들었다.

벌초하는 당일 센터 공사를 하려고 계획이 되어 있었다. 토요일 오전에 진행할 영유아프로그램 장소가 협소하여 치료실 두 개를 하나로 합치는 공사였다.

벌초 당일에 센터 공사를 하였다. 수성동 고모 부재중 전화가 와 있었다. 고모와 통화하면 기본은 1시간이라 그날은 집안 분위기상 착잡한 마음이 들어 다시 전화하지 않았다.

다음날 다시 전화가 왔다. 엄마가 중환자실에 계신다는 말이다. 믿지 않았다. 장난치는 줄 알았다. 그런데 사실이었다.

중환자실에 들어갔더니, 엄마 머리가 민머리가 되어 있었고 의료기구들이 여기저기 주렁주렁 달려있고 얼굴은 통통 부어 있어 몹시 초조했다. 며칠 전에 파마한 머리였다. 의사는 위험한 부위에 혈맥이 관통을 해서 이미 어렵다고 말했다.

뭐라 뭐라 말을 막 했다. 눈뜨라고, 호남(본가) 들어가자고. 왜 여기 있냐고. 시체 놀이 재미없다고 그랬지만 아무런 반응이 없었다.

둘째 면회 날, 다리를 주무르고 머리와 얼굴을 쓰다듬으며 엄마에게 말했다. 가급적 차분하고 정감 있게.

그런데 내 손에 따뜻한 뭔가가 느껴졌다. 엄마가 내 손을 꽉 쥐고 있었다. 이런 힘이 어디서 나왔을까?

그러더니 두 발 발가락 열 개를 모두 꼼지락거린다. 눈은 여전히 감은 채. 나한테 보여주었다. 나 괜찮다고. 걱정마라고.

나는 회복될 줄 알았다. 한낱 꿈이었을까.

그 이후 반응은 전혀 없었다.

나와의 마지막 작별을 위해 그런 힘을 발휘한 것일까.

절체절명의 마지막 위기 순간에 발휘되는 최후의 힘, 본성의 발로. 빅터 플랭클은 이를 로고스라 칭한다.

발인 날은 그야말로 억수 같은 비가 내렸다. 고향 집 앞에 영구차가 도착해서 영구를 상여가 아닌 용달차로 옮겨서 이동했는데, 비가 너무 많이 왔다. 억수 같은 빗속을 뚫고 산으로 올라가는 영구를 보는 순간 "이것이 삶과 죽음이구나." 그 장면이 처절했고 가슴이 아팠다. 나도 가야 할 길임을.

삼우제를 마치고 나의 안식처로 돌아왔다. 거실 유리문에 붙어있는 노랑나비를 발견하였다. 갑자기 나도 모르게 방언하듯 터져 나왔다.

"엄마 나 괜찮다. 걱정하지 마라."

그랬지만 다음 날도 그 나비는 거실 안쪽 벽면에 붙어있었다. 의심하지 않고 담담하게 받아들이며 평안해하는 나를 보았다.

거실 유리문을 살짝 열어두었다. 다음날은 베란다 창문 아래쪽에 붙어있었다. 베란다 문을 살짝 열어놓고 외출했다가 돌아오니 노랑 나비는 사라지고 보이지 않았다.

그 나비는 나와 2박 3일을 함께 보내다 돌아갔다.

.관조 : 당신은 누구입니까?

자기

깊고 넓은 바다, 곧은 절개

극단 생활을 막 끝내고 방황하던 시절, 후배와 길거리에서 재미 삼아 사주를 보았다. 사주명리를 공부하고 계시는 그분은 대나무 같다고 말했다. 이유인즉, 대나무는 마디가 많고 그럼에도 독야청청 (獨也靑靑) 곧은 절개로 계속 위로 뻗어가는 속성이 있다는 거다.

대나무 마디가 시련을 의미하고 그 시련을 극복함으로써 위로 나아가고, 시련을 통해 성장하고, 또 극복하고 뻗어 오른다는 의미로 해석하였다. 수많은 시련이 와도 굴하지 않고 절개를 지키며 꼿꼿하게 성장을 한다는 거다.

순간, 눈물이 핑 돌았다. 인생이 얼마나 외롭고 고달플까라는 감정 이입이 된 것이다. 잊어버리고 있다가도 살면서 어떤 고난과 역경에 부딪힐 땐 문득 상기되기도 한다.

사주명리학에서 나의 사주 오행상 수(水)가 강하고 천간 일주가 임수(壬水)다. 임수(壬水)는 강, 바다, 호수같이 거대한 물이다. 재주와 베짱이 있다. 임수는 양수(陽水)로서 수(水)의 성질을 겉으로 보여준다. 타고난 성품을 알 수 없는 음흉함도 있지만 지능적인 면에서는 다른 오행을 능가한다. 바다는 깊고 넓어서 속을 들여다보면 이것저것 다양한 종류의 생물들이 무수히 많다. 담고 있는 것이 많은 만큼 생각이 많고 리더십은 끝없는 지혜와 임기응변에서 나오며 종교와 철학에 조예가 있을 수 있다고 한다.

- 신정원 『기초부터 배우는 사주명리』 중에서

기억은 없지만, 세 살 때 집 앞 개천 도랑가에서 빨래를 하고 있던 엄마를 향해 공굴다리 위에서 돌을 퐁당퐁당 던지는 놀이를 하다가 2미터 남짓한 높이에서 떨어졌다고 한다. 동네 무면허 의사한테 입술을 꿰맸는데, 당시에 마취도 없이 봉합수술을 했다고 한다. 입술에 그 흉터는 남아 있다.

그리고 동네 지인이 나를 업고 길거리를 지나가는데 누군가 깨진 접시를 던지는 바람에 볼에 상처가 났다고 한다. 그 상처는 중학교까지 있었던 거 같고 어느 샌가 부터 보이지는 않았다. 세 살 때 두 번의 큰 상처를 입은 것이다.

나는 물과 친하지는 않다. 대학 졸업 후 직장생활을 하면서 수영을 배운 적이 있었다. 첫 시간에 수영강사가 모두 수영장 위로 올라오라고 하더니 한 줄로 서서 서로 어깨를 끌어안은 상태로 물속에 밀어버렸다. 파노라마처럼 물속으로 던져졌다. 그 순간 얼마나 무서웠던지 옆 사람 등을 손으로 긁어서 피가 날 정도였다. 물에 대한 공포로 수영장을 계속 다닐 수 없었다.

그리고 몇 년 후 수영을 다시 도전했고 접영까지 마스터를 했다. 지금까지 물속으로 들어가는 데는 막연한 두려움이 있다.

:관조 : 당신은 누구입니까?

체 험

춤 명상, 집중 명상

대학 4학년쯤 대명동 캠퍼스에서 만나서 학과 동기들과 1년 정도 경험했던 요가, 명상에 대한 체험담이다.

기억나는 건 아르헨티나 출신의 여성이 주황색 가사를 두르고 벤치에 앉아서 요가, 명상에 대한 홍보 안내를 하던 모습이다.

호기심이 발동하여 대명동 앞산 밑에 있는 2층 한옥으로 방문하게 되면서 요가를 처음 알게 되었고, 깊이 있는 체험까지는 아니었지만, 초의식과 명상에 대해 관심 있는 사람이 의외로 많다는 것을 알게 되었다.

감자를 삶아 4등분하고 매콤하며 톡 쏘는 맛이 나는 향신료를 곁들여 풍미가 깊었던 음식이 기억난다. 알루지라(쿠민을 넣은 감자볶음)와 카디파코다(요거트를 넣은 카레에 튀김을 넣은 요리), 알루푸리(감자카레와 통밀빵) 등. 그 때 먹었던 음식들이 향과 혀끝에 남아 있다. 자극성 있는 음식을 금하고 화장실 볼일을 본 뒤 그 당시 통을 들고 다니며 뒷물을 해야 하는 등 청결의 중요성을 강조하였다. 금기시해야 하는 것들이 꽤 많았다.

전국의 요기(요가를 하는 사람)들이 계룡산에 모였다. 둥글게 원을 만든 뒤 양손은 하늘을 향하고 발은 왼발 오른발 번갈아 가면서 쿵쿵 찍으면서 도는 집단 동작이었다. 춤 명상이라고 해도 될 거 같다. 모두 함께 일정 간격을 유지한 채 2시간 정도 단순한 동작을 하며 만트라를 주문하였다. 몰입의 경험을 하게 된다. 이루 말할 수 없을 만큼 평안하고 아늑했다. 강렬한 체험이었다.

'바바남 꽤밤 바바나암

바바 남바밤 바바남

바바남 꽤밤 바바나암'

다양한 만트라가 있었지만 아직까지 입에서 흥얼거리게 되는 만트라다. 지금껏 여러 곳에서 명상을 접했지만 꾸준하게 삶 속으로 이어지지는 못했다.

코로나 시국, 혼자 상주 명상센터에서의 경험도 남달랐다. 안내자의 안내에 따라 가부좌를 틀고 눈은 감고 양손은 가볍게 다리에 내려놓고 코로 숨을 들이쉬었다 내뱉었다만 하는 거다. 코에만 집중한다. 처음 시작하자마자 어찌나 졸음이 심하던지 앉자마자 혼침에 빠지게 된다.

어딜 가나 첫날은 별 반응이 없는데 둘째 날부턴 몸에서 역반응이 일어난다. 안에 있는 음식을 모조리 토해야 몸이 가벼워진다. 적응 또는 준비 중이라고 해야 할까. 아니나 다를까 그때도 둘째 날부터 아무것도 먹을 수 없었다. 며칠을 비우고 앉아서 잠만 잔 거 같다. 좌선할 때 몸이 불편하다거나 잡념이 오르지도 않았다. 4일째인가 갑자기 내 몸에서 반응이 일어났다. 몸이라고 해야 하나, 어떤 상황이 발생했다고 해야 하나? 속이 뒤집어질 거 마냥 뭔가 욱하고 올라오면서 느낀 묘한 기분, 그리고 오르막인지 내리막인가로 뛰어 나가 앉아서 하염없이 울었다.

수용

새로운 시작, 그리고 적응

　대구로 하향해서 사설 치료실 3곳을 프리랜서로 일을 하였다. 페이는 매우 열악했다. 2년간 지역 분위기를 탐색하고 조사를 하면서 센터 오픈을 구상하였다.

　발달재활 시설의 조건이 예전과 달리 매우 까다로운 상황이었다. 우선 경사로와 휠체어가 돌 수 있을 만큼 큰 규격의 엘리베이터까지는 그렇다 치더라도 장애인 화장실 2개를 확보하기가 어려웠다. 대구 동구를 거점으로 탐색하였고 각산역 바로 옆 건물 4층에 선금을 주고 계약을 하였다. 오랫동안 공실이었고 건물 주인이 능성구씨 종친회였는데, 계약 후 정토회와 계약하려고 한다고 전해 왔다. 정토회에 대한 신뢰가 커 보여서 미련 없이 승인해 주었다.

　얼마 후 여기저기 동네 구석구석 돌아다니다 만난 건물이 지금 위치한 건물이다. 큰 건물이라 엘리베이터와 화장실은 확보되어 있었으나 경사로와 점자판, 장애인 주차 공간이 없어서 따로 공사를 하였다. 개정되고 강화된 소방시설을 완비하여 어렵게 승인을 받았다. 장애인복지법이 변경되고 수성구에서 처음으로 인준을 받은 기관이 되었다. 법이 바뀌고 처음으로 하다 보니 지자체 관련기

관도 기준이 명확하게 매뉴얼이 확정되어 있지 않아 보건복지부에 물어봐야 한다고 했고, 나 또한 여기저기 묻고 물어서 공사를 진행한 것으로 기억된다.

근린생활시설이 발달재활시설로 용도를 변경하는 것과 관련해서 건축설계사에게 속임을 당하기도 했다. 삶이 그리 윤택해 보이지 않는 거 같아 따지지 않았다. 공사 기간 중 공사업체에서 선금을 받은 후 공사를 마무리도 하지 않은 채 줄행랑을 쳐 버려서 다른 공사업체와 다시 공사를 개시하여 마무리하게 되었다.

내가 미처 몰랐던 세상이 펼쳐지고 있었다.

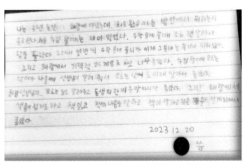

센터 3년 이용한 초등학생 소감문

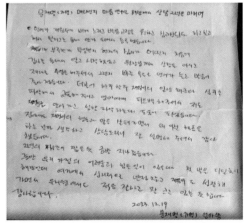

센터 2년 이용한 유치원생 엄마의 소감문

.관조 : 당신은 누구입니까?

공부
자꾸 어긋나는 탐구 생활

　상담센터를 내방하는 아이들이 점점 발달재활 대상보다는 경계선 지능, 학업, 품행의 문제를 가진 아이들이 늘어났다. 공부의 필요성은 절실해졌고, 전문성, 깊이 있는 앎과 성장을 실현하고자 대구에 위치한 문학치료학과에 문을 두드렸더니 교수들 간 알력으로 인해 학과개설이 닫힌 상태, 학과개설은 보류 중이라고 한다. 내년에 다시 연락주세요를 두 해, 3년을 기다렸더니 폐과가 되었다고 한다. 조급해졌다.

　아동가족학과에 원서를 접수하였다. 필기시험에서 논술형 5문제가 나왔는데 아무 생각이 안 났다. 정확하게 말하면 그동안 배우고 현장에서 적용하였던 학습 내용들이었음에도 기억이 안 나서 몇 줄 못 적었다. 물론 시험 준비를 제대로 못 했고 석사 10년이 지난 터라 공부를 놓은 지 오래되기도 했지만 기억력이 많이 쇠퇴했음을 실감했다. 절망감을 느끼는 순간이었다. 앞으로 공부를 할 수 있을까.

　이론에 대한 정비가 안 되어 있었고, 그동안 삶의 방식이 일회적이고 조급하고 단기목표는 있으나 장기목표가 빠져 있음을 알게 된다.

　다음 해에 다른 학교 심리학과에 문을 두드렸고 학과장을 만났다.

나의 프로필로는 전망이 밝지 않다. 딴 곳을 알아보라고 했다.

허무맹랑하게 세월을 흘러 보냈다. 더욱 조급해졌다.

이듬해 상담학과에 입학을 하게 되었고 코로나 블루가 터졌다.

혼돈

단련 vs 참은 방귀는 독하다

유홍준 교수의 '아는 만큼 느끼고 느낀 만큼 보인다' 는 말에서 앎의 필요성과 시선의 높이를 어필하듯이, 그 이면에는 '아는 만큼 가려진다' 는 말과 일맥상통한다고 한다. 아는 만큼 보이는 것을 전체를 다 안다고 함부로 판단하고 해석하려 든다는 말이 아닐는지. 편협함의 오류를 조심하자는 말 일게다. 삶 속에서 체화되고 자각된 것이 아니라 교조주의적인 발상에서 오는 앎의 경계를 직시하자는 말로 인식된다. 함부로 단정 지어버리는 거 말이다.

"나는 블루색을 좋아해"
"그래, 너 우울하구나"

언젠가 TV 다큐멘터리에서 우리나라 최고 학부의 학생들이 교수의 강의내용을 토시 하나 빠트리지 않고 노트에 필기하고 외워서 시험을 치면 높은 학점을 받는다는 학생들 인터뷰를 본 적이 있다. 시험을 치고 나면 얼마 안 가서 잊어버린다는 이야기였다. 충격이었다. 세계 여느 나라보다 교육열은 높으나 노벨상 수상 한번 없는 우리나라 교육 현실의 모순을 자성하고 개선해야 한다는 목소리를 낸 다큐멘터리였다.

우리는 앎을 위해 얼마나 오랜 시간 고군분투해 왔던가. 앎이 그렇게 얄팍한 잣대로 작동되는 현실이 애석할 뿐.

내가 사라져야 자신의 명예를 지킬 수 있다는 위기감에서 시작되었을까. 입은 삐죽삐죽, 집게손가락으로 나의 가슴팍을 꾹꾹 찌르며 "니가 뭐라꼬"

불쑥불쑥 올라오는 뜨거운 무엇.

대학원에서 체험한 나의 고난과 역경은 이 지면에서 다 언급할 수는 없겠지만. 진실이란 유리알 같은 것.

나의 권위주의에 대한 반감과 저항은 다시 올라왔고, 나의 부덕의 소치로 둔갑시키는 게 가장 쉬웠나보다. 사람 하나 등신 만드는 건 순식간이란 말이 스치고 지나간다. 아이러니한 건 정신적으로 도움이 필요한 사람으로 치부해 놓고선 연루된 모든 사람이 혼을 내고 빈정댄단 말이지. 그렇게 강조하는 윤리와 공감은 보이지 않는다. 나로 인해 피해 받은 게 있어서 그랬다면 무릎 꿇고 사과라도 했을 텐데. 사람 마음 고친다는 사람들이.

세상은 참 요지경이야.

자신의 까발려진 본성과 부도덕을 감추기 위한 욕망의 꿈틀거림, 부조리와 부패가 진동하는 음영 사각지대가 도사리고 있었다.

그것도 권력이라고. 기득권을 유지하고자 지인과 가족, 학생에게 마저 힘을 빌어 음모와 수단을 꾀하는 자, 그 옆에서 기생하며 욕망을 채우려는 자, 알아도 외면하는자 등 다양한 인간군상들이 있었다. 더 가지기 위해 부단히 노력해 왔으니 보상받는 것이 당연하다 여기겠지. 콩고물이라도 얻어먹으려면 줄을 잘 서야 해.

자신만의 특권의식. 거울 속 비친 자신의 모습에 빠져버린 나르시스트들.

인간은 본시 나약하다고 하지 않던가. 허망하다 허망하다.

"부끄러움을 아는 건 부끄러운 것이 아니야. 부끄러움을 모르는 게 부끄러운 것이지."

화를 내야 할 상대에게 분출하지 못한 짜증은 마치 중금속처럼 몸속에 차곡차곡 불순물로 축적된다. 짜증이나 신경질의 화살은 결국 나를 향하기 때문에 참은 방귀가 독하다는 말은 괜한 말이 아닌 것이다.(『빨간머리 앤이 하는 말』, 백영옥. 아르떼, 2016)

마음속 응어리를 풀지 않고 놔두면서 그것이 나에게 남겼던 무의식의 상처는 꽤 오랫동안 나를 괴롭히고 있었다.

첫 뿌리가 감수하는 위험만큼 더 두려운 것은 없다. 운이 좋은 뿌리는 결국 물을 찾겠지만 첫 뿌리의 임무는 닻을 내리는 것이다. 닻을 내려 떡잎을 한 곳에 고정시키는 순간부터 그때까지 누리던 수동적인 이동 생활에 영원히 종지부를 찍게 된다. 일단 첫 뿌리를 뻗고 나면 그 식물은 덜 추운 곳으로 덜 건조한 곳으로 덜 위험한 곳으로 옮길 희망(그 희망이 아무리 미약한 것이었다 할지라도)을 포기해야 한다. 서리와 가뭄과 굶주림이 찾아와도 그로부터 도망갈 가능성 없이 모든 것을 직면해야 한다. 그 작은 뿌리는 자기가 앉아 있는 그 장소에 몇 년, 수 십년, 혹은 수 백년의 미래에 어떤 일이 생길지를 점칠 기회를 딱 한번 가진다.

-호프자런 <랩걸> 중에서

식물은 동물과 달리 한 곳에 고정되어 살면서 바이러스나 세균, 벌레 등으로부터 동물들의 먹이가 되기도 한다. 이에 식물들은 동물보다 방어 시스템이 발달되어 화학물질 폴리페놀을 생성해서 스스로를 보호한다고 한다. 즉 누군가의 도움 없이 자신을 충분히 건강하게 지탱할 수 있음을 말하는 것이다.

15살 이후부터 지금까지 주류이기보다는 비주류의 파도에 선뜻 몸을 맡기며 살아왔다. 풍랑을 맞으면 휩쓸리기도 하고, 한 줄기 햇살이 비춰지면 그것이 주는 기쁨에 감사하며 살 수 있었던 건 유년 시절 나를 둘러싼 환경이 밑거름이 되지 않았을까. 뿌리 깊은 나무는 세찬 바람에 휘청할 뿐 끄덕 않듯이. 유년기에 경험한 자연과의 교감, 부모님과의 애착, 세상에 대한 경이로움과 궁금함이 푸릇푸릇한 꿈으로 정신으로 뼈와 살이 되어 튼튼한 마음의 면역력을 심어주었던 것이리라.

소개

반려식물

올여름에 들여온 몬스테라 :
성큼성큼 자라다

가지치기 못해 위로만 뻗은
뱅갈나무

위에서 바라본 아레카야자, 산세베리아

개운죽, 트리안, 스킨답서스 셋은 함께다

매해 겨울마다 눈독들이다 드디어
들여오다

재활한 스파티필름

엄마가 심어서 주고 간 사랑초

펀(fun)펀(fun)한 정원

자연

나비가 아니어도 괜찮다

대학원 박사과정에서 만난 나의 아저씨에 관한 이야기다.

세상은 원하는 대로 되지 않는다는 것을 몸소 체험하고 느낄 수 있도록 무려 4년이란 시간을 훔치고, 보이지 않는 곳에서 오케스트라를 진두지휘해 주신 분이다. 삶의 체험이 주는 의미를 역설하면서.

과거 선생님, 권력, 권위자에 대한 반항심의 발로가 다시 불거진 것일까. 보이지 않는 세상 어느 쪽에선 은밀하게 상상 초월의 일들이 벌어지고 있었고, 차츰 그 수위가 높아지고 온도가 느껴질 때 두려움과 고립의 늪 속으로 다다르게 된다.

보이지 않는 큰 그림에 지쳐갔고, 나는 이미 도가니 속으로 휩쓸리게 된다. 왜 살아야 하는지를 아는 사람은 그 어떤 상황도 견딜 수 있다고 한다.

벼랑 끝에 내몰린 내가 할 수 있는 선택은 뛰어 내릴 것인가, 굴복할 것인가. 고유한 나로 살 것인가.

어떤 삶이든 선택할 수 있다. 선택에는 자유의지 발현과 위험성이 함께 있다. 그것을 조절해내고 책임을 지는 것.

애벌레로, 번데기로 끝난다 한들 폄하할 수 있을까. 하루하루

버티며 살다 보니 나비가 되어 있더라고. 죽기 전 잠깐의 날갯짓을
위해 무수한 시간을 헛되이 보내지는 말자. 고통에 유효기간을
설정할 필요가 있을까.

고통이란 것도 어느 시점이 지나면 맥을 놓아버리게 되고 어느새
즐기고 있더라.

나비가 아니어도 괜찮다.

함부로 논하지 마라. 자신은 나비인가.

나의 묘비명

그만하면 됐네 그려

대나무랑 친구하다 대박 났다고.
남들 꺼리는 거 주저 않더니 얼씨구

유유자적
마음 가는 대로 원하는 대로
더할 나위 없는 삶

그물에 걸리지 않는 바람과 같이
공기처럼 물처럼 어절씨구
그만하면 됐네 그려.

나를 보게하다 나와 접촉하다 나를 만나다

가치

'너나 잘하세요' 를 되새겨 보다

　100이라는 숫자에 어떤 기준점을 내포하듯이 나의 특별한 경험이 그렇다. 일단은 많다는 것을 의미한다. 쉽게 이루어지지 않는 수, 쉽게 밝혀지질 않을 은밀함이 깃들어 있음직한 수 말이다.

　부모님의 염원과 나의 자유의지의 접점을 찾다가 남다른 경험을 하게 되었다. 정확하게 세어보진 않았지만, 아마도 100번 넘게 맞선을 본 거 같다. 스물여덟부터 쉰 살 가까이.

　내 인생 곡선이 아래로 내려오기 시작할 즈음이었던 거 같다. 결혼해서 자녀를 키워 봐야 부모와의 공감대가 잘 형성된다는 대다수 사람들의 생각 '우리 애를 키워보니....' 어쩌고저쩌고 말이다.

　결혼생활이 주는 희로애락. 결혼해서 아이를 낳아 키우고, 시댁과의 갈등을 슬기롭게 극복하고, 남편과의 애증의 관계를 통하면 자기실현, 도(道)에 이를 수 있단 말인가. 결혼이란 경험이 없다손 치더라도 세상 속에서 산다는 것 그 자체가 고통일진대.

　고진감래를 겪어봐야 철이 들어 여물어진다는 속된 마음을 가진 분들이 참 많다는 걸 알게 되면서 군이 결혼 여부를 밝힐 필요성을 느끼지 못하게 되었다. 흔한 세상 경험은 미흡하지만, 연륜이 많은 전문가임을 증명하듯 꼼꼼히 설명하고, 설득을 하고 있는 구차하고 열없어하는 나를 보게 된다.

어떤 지인이, 다른 길이 보이지 않았는데 마침 옆에 사람이 있어서 결혼을 선택하게 됐다는 말. 이런 아류의 이야기를 들을 때만 하더라도 심드렁했었다. 그 의미가 와 닿았을 땐 늦었구나라고 여겼다.

코로나 시국이 시작되고 센터 기존 내담자마저 환불 요청을 하고 3년이 넘도록 혼자 센터를 지키는 나날들이 지속되었다.

눈을 뜨는 게 힘이 들 때가 많았다.

"오늘은 뭐하지? 오늘은 어떻게 시간을 보내지? 오늘은 뭐 먹지?"

진리를 탐구하는 상아탑의 궤적은 느껴 볼 새도 없이 돌아서야 겠다 마음먹기까지의 외롭고 지난한 시간들. 누구 하나 의지할 곳이라고는 없는, 어디를 가야 할지, 목적지는 어디여야 하는지 망망대해에 홀로 표류 중인 상태.

어느 순간 직감이 왔다.

번뇌와 고통으로 시름하고 있을 때 나를 일깨워주고자 멀리서 가까이서 100명은 넘을듯한 스승들이 도움을 요청한 바 없음에도 나를 도우려고 하였다. 긍정적인 모델링을 보여주기보다는 반면교사의 스승들이, 역행보살의 스승들이 함께했다.

지휘자의 진두지휘에 일사분란, 한 마음 한 뜻의 오케스트라 연주마냥. 과대망상이라 해도 괜찮다.

여름밤, 사방이 적막하고 어두운데 한 줄기 불빛 속 날파리떼 모여들 듯이. 일진 날타리떼가 사라지니 이진 날파리떼가 나타나고 또 다른 날파리떼가 생겨났다 없어지고를 반복한다. 이것을 두고 생멸(生滅)이라 하나?

그들과 다르지 않음을 알아차리는 것.

나의 가치관과 맞서는 스승들을 인정하고 수용해 내는 것은 무엇보다 어려운 과제였다. 누구나 고유의 자기 색깔을 가지고 있듯이 나만의 색깔을 흠집 없이 잘 보존하고, 그들에게도 고유의 색깔이 있음을 인정해 주는 것 말이다.

소크라테스가 '너 자신을 알라' 라고 하였던가.

자신을 알려고 하기보다는 타인의 인생에 참견하는 것에 의미를 두고, 이타심이라고 착각하고 있지는 않은가.

친절한 금자씨의 '너나 잘 하세요' 라는 말의 의미와 가치를 되새겨보게 될 줄은...

타인의 행복을 위해 애쓰는 분들에게 헌정하는 인간에 대한 예의랄까, 인간의 한계치를 알고 기대치를 내려놓는 연습을 하면서 조금씩 가벼워졌다.

마음의 봄(Insight)을 부르다(Come on)

아침에 눈을 뜨자마자 할 일이 떠오르지 않을 땐 스스로 놀랜다.
기억력인지? 무기력인지?
갱년기인지? 우울인지?

그러나 한 생각 바꾸면 바빠진다.
화초에 물주는 거부터 시작이다.
요것들마다 들여온 시기가 다르고 흙이 마르는 시기도 다르고
일조량과 바람과의 관계 맺는 방법이 다르기에
이것들을 기억해 놓으려면 달력에 메모를 해 둬야 한다.

일주일에 한 번, 열흘에 한 번, 여름과 겨울 계절마다 물을 줘야 하는 시기가 다르고
바람을 자주 쐐야 하는 식물.
양지보다 음지에 익숙한 개운죽, 트리안 .
엄마가 주고 간 사랑초.
뜨거운 햇살에도 음지에도 밤이면 꽃이 피었다

낮이면 지는 생명력 강한 식물.
헐값에 들여온 기대 않았던 뱅갈나무..
다른 식물들 물 줄 때 물만 주었을 뿐인데
얼마 안 있어 놀랄 만큼 성큼 자라있더라.

1년 넘게 움쩍 않던 아레카야자는 2달 전부터 새 가지가 나오기 시작하더니
이젠 제법 컸다.
주체할 수 없을 만큼 우거지는 금전수에 지지대를 꽂아줬더니
안정감 있게 쑥쑥 자라더라.
속도는 다르지만 어느새 보면 모두 성장해 있더라.

이 식물들이 커 가는 걸 보면서
우리네 인생살이와 다를 바 없다는 걸 알아차리는 것,
나도 같이 성장하고 있더라.

청소하는 걸 좋아하는 스타일은 아니지만,
머리가 어수선할 땐 청소부터 시작한다.
아니 주변이 어수선하다
느껴질 땐 언제나 내 머리도 무겁고 어수선하더라.
청소가 끝나고 나면 머리도 마음도 한결 가볍고 맑아진다.

가끔씩 이 음악 저 음악 틀어놓고 음악에 맞춰 흥얼대다가
리듬을 타고 흠칫 댄스에 가까운 몸놀림으로 전이되기도 한다.
이때다 하며 강렬한 호흡에 몸을 맡기고 댄싱 삼매경에 빠져보기
도 한다.
" 훗훗, 아직 살아 있네... "

어깨가 뻐근할 땐 사람 인형 춤으로
소화가 잘 안된다 싶을 땐 온몸 비틀어 억지 웨이브,
우아한 자태를 뽐내고 싶을 땐 굿거리 춤으로
좋아하는 가수 노래 틀어놓고 같이 소리 내어 목청껏 부르기까지.
목소리로 내 존재를 인식하고 몸으로 느끼는 시간이다.

몸에서 땀이 삐질 삐질 나오면 이젠 된 거다.
슬쩍슬쩍 거울에 비치는 내 모습이 아까완 달라진 걸 목격하게
된다.

집 밖으로 나가 한가로이 주변을 산책하며 강가나 숲속을 거닐거
나 공원산책로 걷기 등 자유롭게 거닐어 본다.
염두에 두고 있던 과제가 가벼워지면서
자연스레 해소되거나 실마리를 찾기도 한다.
내가 미쳤구나 느껴지면 얼른 파를 솔을 치면 된다.
그냥 흘러가게 한다.
이 쉬운 논리를 잊어버리지만 않는다면 된다.
다운되었던 내 마음이.. 내 몸이.. 언제 그랬냐는 듯 바뀌는 순간이다.

내게 영감을 주는,, 색깔이 맞는 책을 만나게 되면 그 또한 삼매
경에 빠질 수 있으니
한 생각에서 빠져나올 수 있다.

:관조 : 당신은 누구입니까?

마음이 무거울 때는 슬픈 휴머니티 영화를 보고 심연 속에서 올라오는 그것을
눈물로 빼 버리면 더 없이 홀가분해진다.
몸이 무겁다고 느껴질 때
몸 속 물기를 빼 주면 몸이,, 마음이,, 가벼워진다.
운동이든 노동이든 반신욕이든 울음이든 물기를 뺄수 있는 좋은 기회다.

한 번에 다 하는 게 아니라 그때 그때 기분에 따라 마음 가는 대로 선택한다.
우울감에서 빠져나올 수 있게 도와주는 나만의 비법이다.
나의 세로토닌이다.

자기만의 비법을 찾고자 할 때,
혼자서 찾기 힘들다고 느낄 때,
누군가의 도움이 필요하다고 느낄 때
함께해요!
메타인지마음연구소 해랑에서

2021. 12. 4 作

나를 보게하다 나와 접촉하다 나를 만나다

의미

희망 찾기 연습, 그 안에 용서라는 과제

살다 보면 넘어질 수 있다. 넘어져서 다치면 고통을 느낀다.

이것은 피할 수 없는 일이다. 다친 경험을 끊임없이 소환해 자신을 탓하거나 남을 원망하는 일은 우리를 번뇌로 이끈다. 상처는 시간이 지나면 대개 가라앉거나 아물지만 우리가 집착하는 정신적이고 감정적인 고통은 우리를 과거에 가두고 계속해서 괴롭힌다.

불교경전 『아함경』에서 첫 번째 화살은 불가피하므로 이로 인한 고통을 관조하고 수용한다면 두 번째 화살은 맞지 않는다고 하였다. 두 번째 화살은 스스로를 비난하고 저항하고 집착하고 자책하는 것을 말할 것이다. 고통스러운 경험 그 자체보다 나의 부정적 생각과 반응으로 더 괴로운 시간들을 보낸 것은 아닌가.

날아오는 비난의 화살을 잘 견디는 사람, 화살에 사로잡히거나 걸리지 않고 나를 잘 길들이는 것.

"너는 네가 길들인 장미꽃에 책임이 있어, 그 진리를 잊으면 안 돼." 여우가 말했다(『어린왕자』)

개인적 차원이나 공동체적 차원에서든 상처는 깊고 오래간다. 종교를 통해 늘 용서의 의미와 가치를 설득당하지만, 현실에서 우리에게 부당하게 상처를 안겨 준 이들에 대한 감정의 골은 좀처럼 지워지지 않는다. 이 부정적인 감정들은 행복에 이르는 길을 가로 막는 가장 큰 장애물이며, 그 장애물을 뛰어넘는 유일한 길이 용서라고 달라이 라마는 말하였다. (『용서』, 달라이라마, 류시화 번역, 오래된 미래, 2010)

하지만, 용서는 결코 쉬운 일이 아니었다.

내가 흘린 눈물의 깊이만큼 그들을 미워하고 원망하였다. 그 눈물을 멈추려고 홀로 애썼던 시간들이 내 인생의 어떤 의미로 남게 될 것인가. 경험하고 싶지 않았던 어느 한 시점의 고통과 분노에 대한 감정의 변화 과정을 관조하듯 나를 보는 시간이었다.

한 발짝도 움직일 수 없는 꽉 막힌 보이지 않는 사방의 벽과 시름하며 그 한계를 맞닥뜨리면서, 놓아버리고 싶은 마음을 다 잡고 또 다 잡고...

어떤 사물이나 대상을 지긋한 마음으로 봐 줄 수 없었던 그 엄혹한 시기에 지긋하게 바라볼 수 있는 기회와 내려놓을 수 있는 잠깐의 여유를 마련해 준 것은 독서와 걷기 명상, 화초 키우기, 무턱대고 글쓰기였다.

'아직 살아 숨 쉬고 있구나!'.

오아시스 같은 생기를 불어 넣어 준 그것이었다.

내가 숨을 쉬어야 용서라는 것도 할 수 있는 거겠지...

인간은 괴로움을 통해 사물의 본질을 꿰뚫어 볼 수 있는 힘, 세계를 투시할 수 있는 힘이 길러지고 높은 차원의 존재를 느낄 수 있게 됩니다. 고뇌를 받아들이면서 맑은 행복이 흘러나옵니다.

- 이시형, 박상미 『내 삶의 의미는 무엇인가』 중에서

추신
다시 관조로

미운오리는 이제 퇴장하렵니다.
미운오리는 이미
자신이 백조임을 숙명처럼 알고 있었기에
당당하고 우아하였겠지요.

여름날 날파리떼 마냥
무수한 스승님들
맞서고 마주하고 귀찮아하느라
심신 리비도 다 마를 뻔했지요.

깊고 넓은 바다에 내던져진 존재
치열하게 접촉하고
나를 만나게 됩니다.
나를 관찰합니다.

이 노래가 흐를 때
나를 찾아 떠나는 여정
눈부신 세계에 피어난 꽃처럼
미운 오리의 마음은 날개짓합니다.

고뇌의 시간이 준 선물
소설 대하듯 영화를 구경하듯
관찰자 시점으로
오롯이 직면하고 받아들일 수 있는 여력이 생긴 겁니다.

다시 관조로

   이 글을 쓸 수 있도록 저의 집 문에 전단지를 붙여주신 분에게 감사드립니다.

   이 글을 쓸 기회를 주고 주관해 주신 대경대학교 하이브사업 <자서전 쓰기 프로그램> 운영진에게 감사드립니다.

나를 보게하다 나와 접촉하다 나를 만나다

글쓴이 윤태희
발 행 2024년 2월 27일
펴낸이 한건희
펴낸곳 주식회사 부크크
출판사등록 2014.07.15.(제2014-16호)
주 소 서울특별시 금천구 가산디지털1로 119 SK트윈타워 A동 305호
전 화 1670-8316
이메일 info@bookk.co.kr

ISBN 979-11-410-7417-3

www.bookk.co.kr